修辭學發凡

修辭學發凡 / 陳望道著. – 再版. -- 臺北
市 :文史哲, 民 78
頁; 公分.
ISBN 978-957-547-637-9 (平裝)

1.中國語文 – 修辭學發凡

802.7

1

修 辭 學 發 凡

編 著 者:陳 望 道
出 版 者:文 史 哲 出 版 社
http:// www.lapen.com.tw
e-mail :lapen@ms74.hinet.net
登記證字號:行政院新聞局版臺業字五三三七號
發 行 人:彭 正 雄
發 行 所:文 史 哲 出 版 社
印 刷 者:文 史 哲 出 版 社
臺北市羅斯福路一段七十二巷四號
郵政劃撥帳號:一六一八〇一七五
電話886-2-23511028 · 傳真886-2-23965656

實價新臺幣三〇〇元

中華民國七十八年(1989)一月再版

ISBN 978-957-547-637-9 80107

目次

第一篇　引言

一　修辭二字習慣用法的檢討

修辭本來是一個極熟的熟語，自從易經上有了『修辭立其誠』一句話以後便常常連着用的。連用久了，自然提起了辭字，便會想起了修字，兩字連結，簡直分拆不開。但是解說起來，終究還是修是修、辭是辭的，被人當作兩個單詞看。直到現在講修辭的還是如此。

而各人對於這兩個單詞的解說，又頗不一致；大體各可分爲廣狹兩義：（甲）狹義，以爲修當作修飾解，辭當作文辭解，修辭就是修飾文辭；（乙）廣義，以爲修當作調整或適用解，辭當作語辭解，修辭就是調整或適用語辭。兩相綺互，共得四種用法如下：

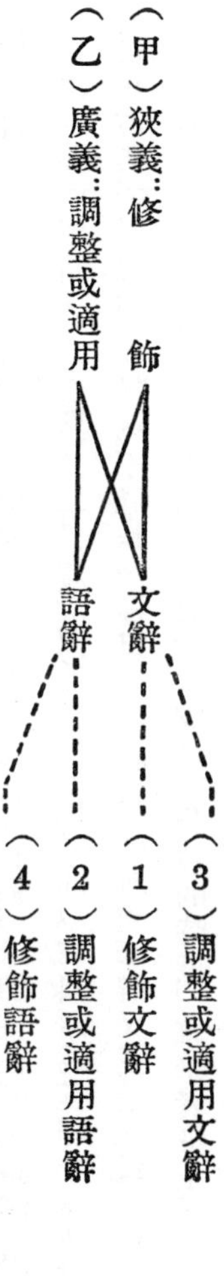

這四種用法，現在可說都是有人在那里用的，不過有意識的不意識的分別罷了。我們要講修辭，對這意識的或不意識的習慣用法，必須約略先加檢討。

第一，是文辭還是語辭？這在過去，往往會回答你說：既然講修辭，自然修的是文辭。如顧亭林所謂『從語錄入門者多不善於修辭』（見日知錄十九），便是隱隱含有這種意思的一個例。但若略加考察，便知這只是禮拜文言時期的一種偏見。在禮拜文言的時期，人們往往輕蔑語體，壓抑語體，貶稱它爲『俚語』爲『俗語』。又從種種方面笑話它的無價值。而以古典語爲範圍今後語言的範型。其實古典語在古典語出現的當時，也不過是一種口頭的語言，而所謂修辭又正是從這種口頭語言上發展起來的。無論中外，都是如此。後來固然有過一大段語文分歧的時期，執筆者染上了一種無謂的潔癖，以謹謹守衛文言爲無上的聖業。而實際從語體出身的還是往往備受非常的禮遇，如『於菟』『阿堵』之類方言，竟至視同辭藻，便是其例。如所謂諧讔，逐漸發展，成爲燈虎商謎，竟至視爲文人雅事，也是其例。而（1）文辭上流行的修辭方式，又常常是受口頭語辭上流行修辭方式的影響的，要是承認下游的文辭的修辭方式，便沒有理由可以排斥上游的語辭的修辭方式。（2）文辭和語辭的修辭方式又十九是相同的，要是承認文辭的修辭方式，也便沒有理由可以排斥語辭上同等的修辭方式。（3）既是文辭語辭共有的同等現象，卽不追尋源頭也決沒有理由可以認爲文辭獨得之祕。就修辭現象而論修辭現象，必當坦白承認所謂辭實際是包括所有的語辭，而非單指寫在紙頭上的文辭。何況文辭現在也已經回歸本流，以口頭語辭爲達意傳情的工具。而我們現在聽到『演說的修辭』云云，也早已沒有人以爲不辭了。這就是實際上已經把語辭認作修辭的工具了。

第二，是修飾還是調整？這在過去，也往往會回答你說：既然說修辭，當然說的是修飾。如武叔卿所謂『說理之辭不可不修；若修之而理反以隱，則寧質毋華可也。達意之辭不可不修；若修之而意反以蔽，則寧拙毋巧可也』（見唐彪讀書作文譜六），便是指修飾而說的一個例。這也只是偏重文辭，而且偏重文辭的某一局部現象的一種偏見。修辭原是達意傳情的手段。主要爲着意和情，修辭不過是調整語辭使達意傳情能夠適切的一種努力。既不一定是修飾，更一定不是離了意情的修飾。以修飾爲修辭，原因是在（1）專着眼在文辭，因爲文辭較有修飾的餘裕；（2）又專着眼在華巧的文辭，因爲華巧的文辭較有修飾的必要。而實際，無論作文或說話，又無論華巧或質拙，總以『意與言會，言隨意遣』爲極致。在『言隨意遣』的時候，有的就是運用語辭，使與所欲傳達的情意充分切當一件事，與其說是語辭的修飾，毋寧說是語辭的調整或適用。卽使偶有斟酌修改，如往昔所常稱道的所謂推敲，實際也還是針對情意調整適用語辭的事，而不是僅僅文字的修飾。

二　修辭和語辭使用的三境界

至於所謂華巧不是修辭現象的全領域，我們只須從修辭的觀點把使用語辭的實際一查考便可以了然。

我們從修辭的觀點上觀察使用語辭的實際情形，覺得無論口頭筆頭，儘可分作下列的三個境界・

（甲）記述的境界——以記述事物的條理爲目的，在筆頭如一切法令的文字，科學的記載，在口頭如一切實務的說明談商，便是這一境界的典型。

（乙）表現的境界——以表現生活的體驗爲目的，在筆頭如詩歌，在口頭如歌謠，便是這一境界的典型。

（丙）糅合的境界——這是以上兩界糅合所成的一種語辭，在筆頭如一切的雜文，在口頭如一切的閒談，便是這一境界的常例。

內中（甲）（乙）兩個境界對於語辭運用的法式，可說截然的不同。用修辭學的術語來說，便是（甲）所用的常只是消極的手法，（乙）所用的常兼有積極的手法。例如鄭奠氏所舉的論語

君子疾沒世而名不稱焉。

與古詩十九首中的

迴車駕言邁，悠悠涉長道。四顧何茫茫，東風搖百草。所遇無故物，焉得不速老？盛衰各有時，立身苦不早。人生非金石，豈能長壽考？奄忽隨物化，榮名以爲寶。

便是絕好比照的兩個例。兩例主要的意思可說完全相同，而一只『直寫胸臆，家常談話』，單求概念明白的表出，一卻『託物起興，觸景生情，而以嗟嘆出之』，除卻表出概念之外，還用了些積極手法。所謂積極手法，約略含有兩種要素：（1）內容是富有體驗性，具體性的；（2）形式是在利用字義之外，還利用字音、字形的。如這首古詩的整整齊齊每句五言，便是一種利用字形所成的現象。這種形式方面的字義、字音、字形的利用，和着內容方面的體驗性具體性相結合，把語辭運用的可能性發揚張大了，往往可以造成超脫尋常文字、尋常文法以至尋常邏輯的新形式，而使語辭呈出一種動人的魅力。在修辭上有這魅力的有兩種：一種比較與內容貼切的，其魅力比較地深厚的，叫做辭格，也稱辭藻；一種比較與內容疏遠的，其魅力也比較地淡淺的，叫做辭趣。兩種之中，辭藻尤爲講究修辭手法的所注重。在小說詩歌等類敘事抒情的語言文字上用得也最多。所謂華巧，也便是指這種形式的表面特色

說的。

而實際，正如王安石上人書所說，『誠使巧且華，不必適用。誠使適用，亦不必巧且華。要之以適用爲本。』華巧並不算是修辭的唯一的標的。這用古話來說，便是所謂『文』外還有所謂『質』。用我們的術語來說，便是積極的修辭手法之外，還有消極的修辭手法。

消極手法是以明白精確爲主的，對於語辭常以意義爲主，力求所表現的意義不另含其他意義，又不爲其他意義所淆亂。但求適用，不計華質和巧拙。當『寧質毋華』的時候便『寧質毋華』；當『寧拙毋巧』的時候便『寧拙毋巧』。（甲）一境界清眞的語辭，實際都是單獨用這種手法的。（丙）一境界的語辭，清眞的部分也是單用這種修辭手法的結果。如上舉『君子』云云，便是一例。這是古話所謂『質』的部分。

此外古話所謂『文』的部分，如（乙）的全體及（丙）的另一部分，實際消極方面也不能不參用消極手法，而求語辭的精確明白。這又就是古話所謂『文附質』、『質附文』的質文相待情況。劉勰文心雕龍情采篇所謂『聯辭結采，將欲明理。采濫辭詭，則心理愈翳』，與王若虛滹南遺老集新唐書辨所謂『作史與他文不同。寧失之質，不可至于蕪靡而無實；寧失之繁，不可至于疏略而不盡。宋子京不識文章正理，而惟異之求。肆意雕鐫，無所顧忌。以至字語詭僻，殆不可讀。其事實則往往不明，或乖本意』，可說便是針對這種情況而言。

三　修辭和語辭形成的三階段

我們若再考察涉及內容的語辭形成的三階段，將更可以明瞭修辭的實際情形。語辭的形成，凡是略成片段的，無論筆墨或脣舌，大約都須經過三個階段：一、收集材料；二、翦裁配置；三、寫說發表。這三個階段的工作並非同受一樣條件的支配。如收集材料最與生活經驗及自然社會的知識有關係。翦裁配置最與見解、識力、邏輯、因明等等有關係。寫說發表最與語言文字的習慣及體裁形式的遺產有關係。三個階段的條件順次遞積，到了寫說發表，便已成爲與生活、經驗、自然社會的知識，與見解、識力、邏輯、因明，與語言文字的習慣及體裁形式的遺產等等無不有關的條件複雜的景象。而始終從中暗暗指揮的，便是也許寫說者自己覺得的也許自己不覺得的一定的生活上的需要。無論是覺得的或不覺得的，必以實現這一定的需要，在收集材料；必以實現這一定的需要，在翦裁並配置所收集的材料；也必以實現這一定的需要，在寫說發表所已經翦裁定妥、配置定妥的材料。這種需要，在語辭上常被具現爲一篇文章或一場說話的主意或本旨。若將寫說單作寫說者個人的情事看，可說寫說便是爲了發揮這個意旨起見，運用語辭來表出上述條件複雜的景象的一種工作。

但寫說本是一種社會現象，一種寫說者與讀聽者社會生活上情意交通的現象。從頭就以傳達給讀聽者爲目的，也以影響到讀聽者爲任務的。對於讀聽者的理解，感受，乃至共鳴的可能性，從頭就不能不顧到。而尤以發表這一階段爲切要。因爲這一階段，是寫說者將寫說物和讀聽者相見的時候。寫說者和寫說物和讀聽者各都成爲交通現象上必不可缺的要素。當這時候，寫說者縱然還有『藏之名山』的志向，也不便再以『藏之名山』自豪了。對於夾在寫說者和讀聽者中間盡着傳達中介責任的語辭，自然不能不有相當的注意。看它的功能，能不能使人理解，能不能使人感受，乃至能不能使人共鳴？

古來因爲中介語辭不能盡責，甚至鬧成笑話的很多。試舉幾個例子。例如范雎說的：

> 鄭人謂玉未理者璞，周人謂鼠未腊者朴。周人懷朴過鄭賈曰，『欲買朴乎？』鄭賈曰，『欲之。』出其朴，視之，乃鼠也。因謝不取。（見戰國策秦策）

這就等於放了一個謠言。缺失最大。也有缺失不到這樣程度的，例如錢大昕說的：論語的

> 攻乎異端，斯害也已。

也就有兩解：一，把『攻』作攻治解，『已』作助詞『了』字解；二，『攻』作攻擊解，『已』作動詞『止』字解。（見養新錄三）

根據這種事實上的缺失及其他事實上的需要，所以材料配置定妥之後，配置定妥和語辭定着之間往往還有一個對於語辭力加調整、力求適用的經程；或是隨筆銜口一恍就過的，或是添註塗改窮日累月的。這個經程便是我們所謂修辭的經程；這個經程上所有的現象，便是我們所謂修辭的現象。

與這現象有關係的具體的事項自然極其複雜，即就上頭說過的來說，便已有生活、經驗的關係，有自然社會知識的關係，有見解識力的關係，有邏輯因明的關係，有語言文字的習慣及體裁形式的遺產的關係，又有讀聽者的理解力、感受力等等的關係。普通作文書上常說的有所謂『六何』說。以爲最有關涉的不過六個問題，就是『何故』、『何事』、『何人』、『何地』、『何時』、『何如』等六個

『何』。普通常說：第一個『何故』，是說寫說的目的：如爲勸化人的還是但想使人了解自己意見或是和人辯論的。第二個『何事』，是說寫說的事項：是日常的瑣事還是學術的討論等等。第三個『何人』，是說認清是誰對誰說的，就是寫說者和讀聽者的關係。如讀聽者爲文學青年還是一般羣衆之類。第四個『何地』，是說認清寫說者當時在甚麼地方：在城市還是在鄉村之類。第五個『何時』，是說認清寫說的當時是甚麼時候：小之年月，大之時代。第六個『何如』，是說怎樣的寫說：如怎樣翦裁、怎樣配置之類。其實具體的事項何止這六個！但也不必勞誰增補爲『七何』，『八何』。至少從修辭的見地上看來，是可以不必的。

我們從修辭的觀點看來，覺得上述複雜的關係，實際不妨綜合做兩句話：（1）修辭所可利用的是語言文字的習慣及體裁形式的遺產，就是語言文字的一切可能性；（2）修辭所須適合的是題旨和情境。語言文字的可能性可說是修辭的資料、憑藉，題旨和情境可說是修辭的標準、依據。像『六何』說所謂『何故』、『何人』、『何地』、『何時』等問題，就不過是情境上的分題。情境是拘束的、理知的，或題旨是抽象的、概念的，如前述（甲）一境界的語辭，便只能用消極手法。例如史記律書說律數便只能說：

九九八十一以爲宮。三分去一，五十四以爲徵。三分益一，七十二以爲商。三分去一，四十八以爲羽。三分益一，六十四以爲角。

而不能用『周餘黎民，靡有孑遺』那樣孟軻所謂必須『以意逆志』的鋪張法。再如情境是自由的、情趣的，或題旨是具體的、體驗的，如前述（乙）一境界或（丙）一境界某部分的語辭，那又未嘗不可任情隨題，採用積極的表現。例如南史到溉傳：

> 溉孫藎早聰慧。嘗從武帝幸京口，登北顧樓賦詩。藎受詔便就。上以示溉曰，『藎定是才子，翻恐卿從來文章假手於藎。』因賜絹二十疋。後溉每和御詩，上輒手詔戲溉曰，『得無貽厥之力乎？』

最後一句君臣相戲的話，用了一個藏詞法把『貽厥』這兩個字來貼套一個『孫』字，也覺得於題旨於情境並沒有什麼不適合，沒有理由可以像顏之推那樣說它紕繆不通的（參看顏氏家訓文章篇）。

四　修辭和情境及題旨

但是消極積極雖然同是依據題旨情境調整語辭的手法，卻也不是毫無什麼側重；（1）消極手法側重在應合題旨，積極手法側重在應合情境；（2）消極手法側重在理解，積極手法側重在情感。而（3）積極手法的辭面子和辭裏子之間，又常常有相當的離異，不像消極手法那樣的密合。我們遇見積極修辭現象的時候，往往只能從情境上去領略它，用情感去感受它，又須從本意或上下文的關係上去臆度它，不能單看辭頭，照辭直解。如見『一日不見，如三秋兮』一句句子裏的一個『秋』字，便當如本書借代章所說的作『年』字解，不能望文生義，直把『秋』字解作夏後冬前的『秋』。

然而可惜古來的見解多是單看辭頭的。或因辭頭略有轉折，便以為破格不通。例如關於上舉藏詞，顏之推在家訓文章篇便說：

> 詩云，『孔懷兄弟』。孔，甚也，懷，思也，言甚可思也。陸機與長沙顧母書，述從祖弟士璜死，乃

言『痛心拔腦，有如孔懷』。心既痛矣，卽爲甚思，何故言『有如』也？觀其此意，當謂親兄弟爲『孔懷』。詩云，『父母孔邇』。而呼二親爲『孔邇』，於義通乎？

這我們可以稱爲破格說。或因辭頭略離題旨，便以爲虛浮不實。例如關於譬喻，劉向說苑記梁王對於惠施的故事道：

客謂梁王曰，『惠子之言事也善譬，王使無譬，則不能言矣。』王曰，『諾。』明日見，謂惠子曰，『願先生言事則直言耳，無譬也。』

這我們可以稱爲虛浮說。或因辭頭略乎華巧，便以爲是一種華麗的裝飾。例如王安石上人書道：

所謂辭者，猶器之有刻鏤繪畫也。

這我們可以稱爲裝飾說。這些單看辭頭的說法，雖然和濫用辭頭的形跡不同，其實便是濫用辭頭的同病別發。因爲一樣不甚留意修辭和題旨及情境的聯系，尤其是和情境的聯系。一旦遭遇根據情境的反對論，便將無法解答。例如惠施對梁王說：

『今有人於此，而不知彈者，曰，彈之狀何若？應曰，彈之狀如彈，則諭乎？』王曰，『未諭也。』『於是更應曰，彈之狀如弓，而以竹爲弦，則知乎？』王曰，『可知矣。』惠子曰，『夫說者固以其所知諭其所不知而使人知之。今王曰無譬，則不可矣。』王曰，『善。』

我們知道切實的自然的積極修辭多半是對應情境的：或則對應寫說者和讀聽者的自然環境社會環境，卽雙方共同的經驗，因此生在山東的常見泰山，便常把泰山來喻事情的重大，生在古代的常見飛矢，便常把飛矢來喻事情的快速；或則對應寫說者的心境並寫說者和讀聽者的親和關係、立場關係、經驗關係，以及其他種種關係，因此或相嘲謔，或相反詰，或故意鋪張，或有意隱諱，或只以疑問表意，或單以感嘆抒情。種種權變，無非隨情應境隨機措施。

這種隨情應境的手法，有時粗看，或許覺得與題旨並無十分關係，按實正是灌輸題旨的必需手段。語言學家巴利（Charles Bally）曾經說過：我們說話便是一種戰鬥。因爲人間信念、欲望、意志等等，都還不能完全吻合，這人以爲重大的未必旁人也以爲重大，這人以爲輕微的未必旁人也以爲輕微，因此每有兩人接觸，便不能不開始所謂語辭的戰鬥，運用所謂語辭的戰術。有時辛辣，有時紆婉，有時激越，有時和平，有時謙恭愁訴，簡直帶有僞善的氣息。必須如此，纔能攻倒對方壁壘的森嚴，傳達自己的意志到對方，引起對方的行動。而所以說話的目的，方纔可以如願達到（見所著語言活動和生活）。他因此斷定語言活動便是社會的生活的表現，語言便是椅桌間折衝的武器。我們倘若也用武器來做譬喻，便也可說修辭是放射力、爆炸力的製造，卽普通所謂有力性動人性的調整，無論如何，不能說是與立言的意旨無關的。

總之，修辭以適應題旨情境爲第一義，不應是僅僅語辭的修飾，更不應是離開情意的修飾。卽使偶然形成華巧，也當是這樣適應的結果，並非有意羅列所謂看席釘坐的飣餖，來做『虛浮』的『裝飾』；卽使偶然超脫常律，也應是這樣適應的結果，並非故意超常越格造成怪怪奇奇的『破格』。凡是切實的自然的修辭，必定是直接或間接的社會生活的表現，爲達成生活需要所必要的手段。凡是成功的修辭，必定能夠適合內容複雜的題旨，內容複雜的情境，極盡語言文字的可能性，使人覺得無可移易，至少寫說者自己以爲無可移易。譬如福洛貝爾教導他的弟子莫泊桑的『一語說』所謂無論什麼只有一個適切的字眼可用而寫說者就用那個唯一適切的字眼來表出的一樣，或更說得切實些，卽內容自在努力，趨向一定的形式。

五　修辭的技巧和修辭的方式

這種修辭技巧的來源有兩個：第一是題旨和情境的洞達，這要靠生活的充實和豐富，第二是語言文字可能性的明澈，這要靠平時對於現下已有的修辭方式有充分的了解。技巧是臨時的，貴在隨機應變，應用什麼方式應付當前的題旨和情境，大抵沒有定規可以遵守，也不應受什麼條規的拘束。只有平日在這兩面做下了充分的準備工夫，這纔可望臨時能夠應付裕如。除此便是天資的關係。

這兩面的工夫，前者是關於語言文字之外的，後者是關於語言文字本身的。兩面之間，臨時大抵有所偏重。臨時大概必要心眼中只有題旨情境纔好。而平時必當兩面並重。一面充實生活，同時也不當荒廢語言文字的觀察和研究。詳察精究之後，用時纔得心中無法，手上有法，或心中無法，口上有法，可望做到應手應口的地步。或竟能夠更進一步，獨出心裁，別開生面。

所以平時對於修辭的方式頗要有精密的觀察和系統的研究。有精密的觀察可免渾淪懵懂，認識不眞；有系統的研究可免混淆雜亂，界限不清。

一、精密的觀察　這有兩層：（甲）個性的觀察。如前所說，每個具體的切實的修辭現象，都是適應具體的題旨和情境的，我們當把每個方式就題就境看出它的個別性質，這樣纔見語辭是有根的是活的，是有個性的，是不能隨便抄襲，用做別題別境的套語的。其次，也當分別觀察因爲所用語言不同而生的別個性質。我們知道文言口語，同用一個修辭方式，往往是口語中明白得多，自然得多。這中間必然含有大同小異的所在。我們也當把那所在隨時察出。卽如前說藏詞，文言中用的成語大抵採自詩經書經等幾部讀書人比較熟悉的古書，口語中卻就更進一步，只用一般人口頭上熟習的成語。這就是使這方式更爲親切，更爲有趣的原因。每次觀察也當把這種語言個性連同注意。還有體式、風格不同，也頗會形成了大同中的小異。例如把詩歌和歌謠相比，大抵是歌謠質樸得多，每用一個方式往往從頭直用到底。這也要分別留神纔是。（乙）功能的觀察。卽如前頭說過的藏詞，主意是在將所用的詞藏去。單將所用的藏去，旁人將必無從領悟，故必取一句中間含有這詞的人人熟悉的成語來，露出成語的別一部分，來貼套本詞。那一部分，單任貼套，不表意義。意義仍在所藏的詞，所以我們稱爲藏詞。這種方式，大約魏晉時代便已盛行。例如陶淵明的詩（庚子歲從都還）中便有這麼二句：『一欣侍温顏，再喜見友于』。利用書經上『友于兄弟』一句成語，把『友于』來貼套『兄弟』。不過那時民間流行的情形，現在已經很難考見。只有宋代以後，筆記流傳較多，我們還可從筆記中約略查得一些事略。如宋吳處厚靑箱雜記一云：

> 劉燁與劉筠連騎趨朝，筠馬病足行遲。燁謂曰，『君馬何遲？』筠曰：
> 『只爲三更五—。』言『點』蹄也。燁應聲曰：
> 『何不與他七上八—？』意欲其『下』馬徒行也。

又如清褚人穫堅瓠二集一云：

> 吳中黃生相掀脣，人呼爲『小黃簸嘴』。讀書某寺中，一日，寺僧進麵，因熱傷手式地，黃作歇後

語謔之曰：

『光頭滑—，光頭浪—，光頭練—，光頭勒—。』謂『麵湯捵忒』也。僧亦應聲戲曰：

『七大八—，七青八—，七孔八—，七張八—。』蓋隱『小黃鷇嘴』四字。黃亦絕倒。

照此看來，藏詞方式顯然不能望文生義，照字直解。假如有人照字直解，那就可說不懂它的功能。其次也當留神歷史或社會背景所印染成的色彩。即如藏詞，總看各例大抵帶有俳諧情味，就是搆成，也和製造燈謎不相高下。自然要算用在有打燈謎那樣歡樂的情境中最爲合拍。

二、系統的研究　這也有兩層：（甲）每式之內的系統。即如前說藏詞，有藏去後部的，古來名叫歇後，如『友于』『貽厥』等各例都是。也有藏卻頭部的，古來名叫藏頭，如曾有人稱十五歲爲『志學年』，稱三十歲爲『而立年』，便是藏卻『十五而志於學』，『三十而立』等成語頭部的藏頭語。此外藏卻腰部的藏腰語，也該有人用過，但我到現在，還未曾發見。就是藏頭語，也頗不多見。只有歇後語特別發達。照民間的用例看來，且有延展到譬解語，利用譬解語來做歇後語的傾向。那種歇後語，我們可以另稱爲縮脚語。例如『猪八戒的脊梁，悟能之背』（無能之輩），便是一句民間流行的譬解語，上句爲譬，下句爲解。現在就漸漸有截去『悟能之背』一截，單說『猪八戒的脊梁』一截來貼套『無能之輩』的傾向，成爲一種縮脚語了。像這樣每式內部的系統最好能夠明瞭。（乙）各式之間的系統。再用藏詞做例，我們不但該明瞭藏詞內部的各色情形，還當明瞭藏詞和析字、飛白以及譬喩、雙關、回文等等一切方式的同異關係。明瞭之後，對於各種修辭方式方纔不會將同作異，將異作同。一個修辭現象到前，一看便能了然。斷乎不會再有那種把我們所謂雙關和某君所謂詞喩，我們所謂析字和某君所謂字喻當作兩種，又把我們所謂回文和某君所謂字喻混作一種的錯誤觀念。應用起來，也可脫口而出，毫不躊躇。

六　修辭研究的需要，進展和任務

但這樣的觀察和研究頗要耗費相當的時日，又不是人人一時所能雙方並進的。因爲精密的觀察是注意方式中的小異，系統的研究卻要留心方式中的大同。雖然研究也不是從頭就可不注意小異，但當歸納時，必當用捨象法將小異捨去，抽出它的大同來，纔能將它和別的有這大同的現象構成一個相當的系統。所以研究的注意必在同。而平日的觀察卻在異。同異雙方同時注意，固然不是不可能，但必須先有相當的經驗做基礎。有了相當的經驗做基礎，再去做精密的觀察，方纔功能容易明白，個性容易看清。得益纔更容易，纔更大。

我們的先輩似乎也頗知道此中的底細。故頗有相當的與人論文書傳給我們。又常在詩話、文談、隨筆、雜記中，記下一些經驗來，供我們開始觀察時候參閱。但可惜都不是專爲修辭說的，故內容頗雜，又多不是純粹說明的態度，所收現象也多是偏於古典的。那於研究古典或古代某一部分的修辭現象，固然也可以做參考，卻頗不適於我們想要系統知道修辭現象者之用。因此頗有人想略仿西方或東方的成規，運用歸納的、比較的、歷史的種種研究法，將所常見的，或文學史上尙須說到的修辭現象，分別部類，做成一種修辭學。修辭學原是勒托列克（Rhetoric）的譯語，『五四』以後纔從東方傳入的。但最初用修辭這個熟語正名本學的，卻是元代的王構（肯堂）。他曾著有修辭鑑衡一書，雖不甚精，似乎也可以算是修辭專書的濫觴。不過那是屬於萌芽時期的著作，自然與我們所謂運用歸納的、比較的、歷史的研究法的修辭學無關。

修辭學的任務是告訴我們修辭現象的條理，修辭觀念的系統。它擔負實地觀察、分析、綜合、類別、記述，說明

（一）各體語言文字中修辭的諸現象

（二）關涉修辭的諸論著

的責任，從（一）的原料和（二）的副料中歸納出一些條理一個系統來，做我們練習觀察的基礎，或直接做我們自由運用的資助。它不是立法者。就是出現某一實例的語言文字也不是立法者。沒有什麼權力可以拘束我們遵從它。故所歸納出的，決不能誤解作爲條規。但實例是很重要的。它是歸納的依據，它有證實或駁倒成說的實力。近人常說，『拏出證據來』，它便是證據。唐鉞氏的修辭格在現在許多修辭研究中所以比較的有成績，便是因爲他極注意搜集實例的緣故。又舊著，不是爲修辭寫的，如王若虛的滹南遺老集，俞樾的古書疑義舉例，對於修辭研究所以比較的有貢獻，也便是因爲他們極注重實例的緣故。實例除了助成歸納之外，本身還可顯示修辭如何必須適合題旨情境的實際，故在條理歸納清楚之後還當將它保存，並且記明篇章出處，藉便翻閱原文，細玩它的意味。至於各種論著，無論是中的外的古的今的，都只能做比較的研究或歷史的研究的參考，備萬一要解說某一現象而不能卽得確當解說時的提示，或作解決方式的左證。如周鍾游氏的文學津梁、鄭奠氏的中國修辭學研究法便是在這一方面頗可備供參考的關於中國修辭古說的參考書。

至於修辭學本身，它應該告訴我們下列幾件事：

一、修辭方式的構成　如譬喩，應說明它由（1）思想的對象（2）譬喩語詞（3）另外的事物三者構成。

二、修辭方式的變化　如譬喩有三種變化：

（1）明喩——譬喩語詞指明相類，形式爲『君子之德如風』。又有時隱去。

（2）隱喩——譬喩語詞指明相合，形式爲『君子之德風也』。又有時隱去。

（3）借喩——思想的對象及譬喩語詞都隱去，單說『風』，如『先生之風，山高水長』。

據容齋五筆，范仲淹嚴先生祠堂記的這兩句，原作『先生之德，山高水長』，做好之後給李泰伯看，李泰伯敎他把『德』字改做『風』字的。據此我們可以猜度這個『風』字是借喩『君子之德』。

三、修辭方式的分布　如譬喩遍布在古今文中，又遍布在文言和口語中，不過口語中把譬喩語詞改作『好像』『如同』『一樣』『就是』等等就是了。

四、修辭方式的功能或與題旨情境的關聯　如前引惠施所謂『以其所知諭其所不知而使人知之』之類的說明。

五、各種方式的交互關係　如譬喩和借代相近，而與前舉藏詞則相距頗遠之類。

以上五條，在修辭學書中，大抵把（一）（二）（三）說得較詳，（四）（五）說得較略，或只用界說或類別來暗示。因爲這樣，比較可以免掉掛一漏萬，而且條理也比較的淸楚些。

七　修辭學的功用

像這樣的修辭學，我們可以說是一種語言文字的可能性的過去試驗成績的一個總報告。最大的功用是在使人對於語言文字有靈活正確的了解。這與讀和聽的關係最大。大概可以分做三層來說：

（一）確定意義　以前往往把修辭現象當作『可以意會，不可以言傳』的境域，其實修辭現象大半是可以言傳的。我們既知道它的構成，又知道它的功能，大半就可確定它的意義所在，擴大了所謂言傳的境域。例如所謂『筍席』便是竹席，所謂『筍輿』便是竹輿，倘若知道借代，便可不必繁徵什麼方言來證明，解說。

（二）解決疑難　偶有修辭上的疑難，也比較容易解決。例如柳宗元柳州山水近治可遊者記說『又西曰仙弈之山。……其上有穴。……其鳥多秭歸。石魚之山全石，無大草木。山小而高，其形如立魚，在多秭歸西。有穴，類仙弈。』人往往以為『在多秭歸西』一截不可解，也有人以為應該删去『在』字，而將『西』字連下讀。其實倘若知道借代，又看一點山海經的借代法，便可斷定應該這樣讀，而且可以斷定所謂『多秭歸』，即指上文仙弈山。

（三）消滅歧視　人又往往以為文言可以做美文，口語只能做應用文。而所謂美文者，又大抵是指辭采美富而說。其實文言的辭采，口語大抵都是可以做到的。例如文言有『春秋鼎盛』一句，人或許以為『春秋』二字美，而不知『春秋』二字，實際是與口語中的『東西』兩字同用一樣的修辭法。倘若知道借代，也便可以將一切歧視文言口語的偏見立時消滅。

其次便是可以順次做系統的練習。因爲修辭學已經把同類的例彙集在一起了，要做系統的練習，實際很容易。其次纔是寫說。修辭學可說與實地寫說的緣分最淺。因爲實地寫說，如前所說，是必須對應題旨情境的，決不能像讀和聽那樣不必自己講求對應的，容易奏效，也決不能像練習那樣不必十分講求對應的，容易下手。而一度試用有效的，又並不能永久保存作爲永久靈驗的處方箋，所以也決不能藉爲獺祭的方便。但與實地寫說也不是全無關係。倘從好的方面說來，大抵可以療治兩種病象：

（一）屑屑摹仿病　從前有些人不知修辭的條理，往往只知屑屑摹仿古人，現在條理明白，迴旋的地位大了，屑屑摹仿病想必可以去了一半。而且也會知道有些地方是絕對不可蹈襲的，例如現在已經不常看見飛矢，爲什麼還要用飛矢來喻快速，已經知道泰山也不是異乎尋常的大山，爲什麼還要用泰山來喻重大或高大？

（二）美辭堆砌病　又有些人不注意語言文字和題旨情境的關係，錯覺以爲有些字眼一定是美的，摘出抄起，備着做文的時候用。殊不知道語言文字的美醜是由題旨情境決定的，並非語言文字的本身有什麼美醜在。語言文字的美醜全在用得切當不切當：用得切當便是美，用得不切當便是醜。近來有人把那些從前以爲美辭麗句的叫做爛調套語，便是因爲用得不切當的緣故。

倘從好的方面說來，或許可以療治這些病象。但也要看聽的看的人態度如何，寫的說的人方法如何。大概方式的選擇要精，說述要明，舉例要用意周到，評斷要不違反現代語言文字的趨向和語言文字的本質，纔能做到如此地步。一切健全的寫說都是內容決定形式的，而內容又常爲生活所決定。沒有健全的生活（學術的或日常的）便不會有健全的內容，也就不會有健全的形式。修辭學的本身，也是如此。此刻有誰敢說能夠做到呢？

第二篇　說語辭的梗概

一　修辭和語言

語辭就是普通所謂語言。語言是達意傳情的標記，也就是表達思想，交流思想的工具。傳情達意可用各種的標記，可以通過各種的感覺。如用蘭臭表示意氣相投，蘭臭便是一種齅覺的標記，用握手表示情意相親，握手便是一種觸覺的標記。而最常用又最有用的，卻是一種聽覺的標記，就是口頭的語言。普通所謂語言，便是指這一種口頭語言而言。

其次，爲了留久傳遠起見，又須用文字做中介，把口頭語言寫錄做文字。文字是訴諸視覺的標記，性質自然和聽覺的語言不很同，但與語言很有密切關係。語言學書上往往併這文字也稱做語言。而把口頭語言叫做聲音語或口頭語，文字叫做文字語或書面語。較廣義的語言，又是指語言和文字這兩種而言。

再看聾啞和嬰兒，又頗有用搖頭、擺手、頓脚等裝態作勢的動作來傳情達意的事實。我們談話、演說，也還時時利用它來做補助的標記。故有時更加擴大範圍，又往往連這種態勢也算做語言，把它叫作態勢語，或者叫做身勢語。語言的更廣義，又是含有聲音語、文字語和態勢語這三種。

前說修辭所可利用的，是語言文字的一切可能性；所謂語言文字的可能性，一半便是這些種語言的習性。另一半是體裁形式的遺產。如前頭說過的藏詞，便是一種利用遺產的修辭法。此外如引用，如仿擬，也是利用遺產。這種利用遺產的修辭法，以前很盛行。但都偏於引用古人的成句或故事。普通叫做『用典』。用典雖然可以構成聯想內容，但很容易喧賓奪主，破了美意識的純一境界。有時甚至使人不懂說的是什麼。例如現在酒店櫃屏上常寫着『青州從事』四個字。這四個字，我們固然知道它是指說好的酒，但是曲折之多，卻正可供瑞典中國語言學家珂羅倔倫(Bernhard Karlgren)引去做中國文辭費解的有力的證據。他說：『最有力的例證，是用「平原督郵」代替「劣等的酒」，「青州從事」代替「優等的酒」。中國人說：美酒可以及於「臍」，而劣酒只能及於「膈」。這個「臍」字，恰好和另外一個也讀這音的「齊」字，形體相似，而「齊」爲一個地名，屬於青州治下；所以美酒叫做「青州從事」。另一方面，「膈」字也和另外一個也讀這音的「鬲」字，形體相似，而「鬲」也是一個地名，屬於平原縣治；又因爲劣酒正等於「鬲」，所以叫做「平原督郵」。桓温的主簿是一個酒的鑒賞家，發出這種文學的詼諧語，正可用爲代表中國語精巧的一個例子。』(參看珂羅倔倫中國語與中國文及世說新語術解篇)。這種說法，當時是精巧的，現在可就覺得很費解了。『五四』前後的「文學改革」所努力的，大半便是這種費解的用典風氣的體無完膚的攻擊。中國語與中國文出版於一九二三年，大約著者當時還不十分知道中國已經有了一種新氣象，故還處處以用典爲中國語辭的特徵。現在我們也已經把這種措辭法認作一種乞靈法，或沒有時間鎔鑄新辭時的救急法，不再認它爲正常的措辭法了。除了幾種淺顯明白的不必查考典故便可懂得的之外，都已廢棄不用。所以我們研究修辭，也就無須浪費精力，從事偏僻的用典方式的研究。而語言習性的利用，卻比以前更爲注意。至少也不比以前忽略。雖然現在另有語言學、文字學等專科的研究，也不能不在將要進講修辭方式的時候，把這修辭工具的性質說述點梗概。

二 態勢語

態勢語，是用裝態作勢的動作，就是態勢，來做交通意思的標記。蘇軾所謂『海外有形語之國，口不能言，而相喻以形，其以形語也捷於口』（見怪石供），便是指着它說的。它同所要表示的意思極直接，一般不過用它來補助口頭語言的不足，在不能用普通語言交流思想，或沒有共通語言交換意思的時候，也還可以用它來做交通工具。如聾啞和嬰兒以及其他一切人的指手畫脚之類便是。

態勢共有三種：就是表情的、指點的和描畫的。如用微笑表示歡喜或許可，蹙額表示憤怒、厭惡或反對，便是表情的。表情的態勢雖然似乎多是反射作用，未經反省的，但刺激旁人的功用卻頗大。指點的態勢，是直接指點對象的態勢，如指人說人，指物說物之類。這種態勢，自然只能用以指點前後左右視覺可及範圍內的事物和方向。在視覺所不及的範圍中的事物，便要應用描畫的態勢來表示。描畫的態勢又可以分做三種。如一手支頭，兩眼緊閉，表示睡着，是象形的；伸出大指頭表示大，伸出小指頭表示小，是指事的。指着前方表示將來，指着後方表示過去，是象徵的。第一種是直寫事物的形狀，第二種是借他物重要的特徵來表示這物，第三種是借適宜描畫別方的行動來表示這方的事物。態勢能夠做出這三種，表意的功能已可說是不小了。

但它總是直觀的，不能表示抽象的意思。如『凡人皆有死』這句話，用態勢語來繙譯便不容易繙譯出來。遇有連續的時候，又只能用印象的連續法，不能有普通的文法組織。其連續法大抵如次：

主語，修飾語——賓語，謂語

故如說『黑牛喫草』便要化成『牛，黑——草，喫』的形式。而文法上的名詞、形容詞、動詞等詞品，又幾乎無法分別。如指黑土可以說黑，也可以說土，指青草可以說草，也可以說青。究竟說什麼，全要從情境上去臆度它。就是語氣，也是如此。同是指點一件東西，一帶有疑問的表情便會成爲詢問語，一帶有發急的表情便會成爲命令語，也要從情境上猜度它。種種方面湊集起來，態勢便成了很粗陋笨拙、曖昧不明的意思交通法，大不及聲音語的簡捷而明確。對於聲音語來說，只可算是粗笨的漫不足道的交通工具，不能同聲音語相提並論。除了某些情形特殊的人，如聾啞、嬰兒之類，或遇到某些特殊的情境，如彼此言語不通之類，用它來示意之外，一般不過用它來做補助聲音語言的工具。在修辭上也只和口說或記錄口說的文辭有關係。如論語八佾篇：

或問禘之說。子曰，『不知也。知其說者之於天下也，其如示諸斯乎？』指其掌。

指其掌是一種手勢，是態勢的一種。『指其掌者，弟子作論語時言也。當時孔子舉一手伸掌，以一手指之，以示或人曰：其如示諸斯乎？弟子等恐人不知示諸斯，謂指示何等物，故著此一句，言是時夫子指其掌也。』假如孔子當時沒有這指點的手勢或記錄時並不記錄出這指點的手勢，他的話中就不能用那等於現在說『這個』或『這里』的『斯』字。故在口說或記錄口說的文辭中，態勢實際也同修辭有相當的關係。它能指示說話時的情境，而本身也便是說話時的情境之一，修辭須得與它相應合。但它實在不是所要調整的語辭的本身。所以除了演啞劇，學演說，教聾啞，領嬰兒，或者另外須有特殊的研究的之外，修辭上已不將它作爲可供利用的工具了。

三　聲音語

修辭上最要注意的是聲音語。我們常簡稱它爲語言。聲音語是由聲音和意義兩個因素的結合構成的，自然離了聲音便不能存在，缺了意義也不能成立。但聲音和意義的關係，卻不像態勢語那樣的直接。如說騎馬拴馬，在態勢語是將手做幾下搖鞭的姿勢，將脚做一下跨上的姿勢，來表示在騎馬。又將脚做一下跨下的姿勢，將手做幾下結繩的姿勢，來表示在拴馬。都就用表意行動的本身做意思交通的手段。是直接的。而聲音語，卻不用行動本身做意思交通的工具，乃用行動所生的結果——聲音——做意思交通的工具。是間接的。這種間接的聲音，在約定習成之後，自然也會覺得聲音和意義之間彷彿有着一種自然的必然的關係。似乎無可改動，無可移易。例如馬，你不能叫做鹿，鹿也不能叫做馬。但當初全是適然的，人定的。正如荀況所謂『名無固宜，約之以命。約定俗成謂之宜，異於約者，謂之不宜』（荀子正名篇），嵇康所謂『夫言非自然一定之物，五方殊俗，同事異號，舉一名以爲標識耳』（嵇中散集聲無哀樂論）。它是意思、事物的約定俗成的標記，而非意思、事物的自然、必然的表徵。大約當初生活在同一地方的，生理和環境都很相似，經驗也差不多，經驗既經互相認識，用以表示該經驗的聲音也復互相承認，隨後便將那聲音來做表示同樣經驗的約定標記，因就成了這種用聲音表示意思的語言。

語言的起源，有種種學說，舉其要者，如一、摹聲說，謂語言起於人類摹倣鳥獸等的聲音。

二、嘆聲說、謂人類之情隨自然發動而有嘆聲，可視爲語言的起源。三、天賦說、謂人類由其發聲器官之發育，生來卽能以語言表達自身的思想。四、偶然說，謂偶然的聲音，附加於某種事物，帶來語言的性質，漸漸推廣實行起來，卽爲語言的起源。以上諸說，雖所見各有不同，但由此可以看出，人類最初的語言，總是非常簡陋的，語彙很貧乏，文法組織也很原始，但因語言的聲音和意義的結合，是隨社會的習慣約束，只要約定俗成，卽可聲入心通，其後更可漸行變遷和發展。

語言是社會的產物，同時也是社會組織的工具。社會假如沒有語言，必致混亂。我們大概都還記得舊約中巴別塔的傳說。那在創世記第十一章中記着說：

> 那時天下人的口音語言，都是一樣。他們往東邊遷移的時候，在示拿地遇見一片平原，就住在那里。他們彼此商量說，……來罷，我們要建造一座城和一座塔，塔頂通天，爲要傳揚我們的名，免得我們分散在全地上。耶和華降臨要看看世人所建造的城和塔。耶和華說，看哪，他們成爲一樣的人民，都是一樣的語言。如今既已作起這件事來，以後他們所要做的事就沒有不成就的了。我們下去，在那里混亂他們的口音，使他們的語言，彼此不通。於是耶和華使他們從那里分散在全地上，他們就停工不造那城了。因爲耶和華在那里混亂天下人的語言，使衆人分散在全地上，所以那城便叫做巴別（巴別就是混亂的意思）。

這傳說便是顯示語言不通是怎樣的不便。

四　文字語

及至經驗發達，不能單靠口頭傳述，直接記憶，從這一時代留傳給別一時代，又社會擴大，人事增繁，不能單靠口頭，維持這一地方和別一地方的關係和團結。於是單有語言，也還覺得不便。社會上便又有訴之視覺的文字語發生。我們常簡稱它爲文字。

現在人一說到文字，總以爲文字是語言的標記，或說『言者意之聲，書者言之記』（尙書序疏）。這就現在而論，也符事實。假若追溯源頭，文字實與語言別出一源，決非文字本來就是語言的標記。

文字從起初到現在約略可以分爲下列四個時期：

（一）記認時期

（二）圖影時期

（三）表意文字時期

（四）表音文字時期

就是在今日通用的表音文字之前都曾用過表意文字，表意文字之前又曾用過別的幾種圖記。

在文字未和語言連合的過渡時代，大抵先用結繩、刻符、串貝等方法，補助人類的記憶。這是文字史前的記認時期。據說中國也曾有過結繩時代。易經繫辭說：『上古結繩而治』。又曾有過刻符時代。卽所謂『後世聖人易之以書契』。而中國的苗人，也用過刻符。方亨咸苗俗紀聞說：『俗無文契，凡稱貸交易，刻木爲信，未嘗有渝者。木卽常木，或一刻，或數刻，以多寡遠近不同，剖而爲二，各執一，如約時合之，若符節也』。其次便是用種種的圖影，寫錄種種的意思的時期。這是文字史前和文字史的過渡時期。故或劃入史前，或劃入史中稱它爲『圖影文字』，說法頗不一致。但凡連篇的圖影與語言尙不適合的，似以劃入史前較便說明。如圖是奧吉倍族的女子寫給一個男人的情書。左上一個熊是女子的圖騰，左下一條泥鰍是男子的圖騰。便是信上的發信人和收信人。旁邊兩條線是路徑，兩個三角塚是相會的帳幕，裏面畫有招他去的標記。三個十字架表示幕周居民都是基督教徒，對他說明四周的情況；還有三個圈，是表示那里有湖沼，用以指示位置，彷彿等於說那是什麼路多少號。我們中國什麼時代用過這類的圖影，現在還未考究清楚。但據沈兼士氏推測，以爲虞書上說的欲觀古人之象而作日月至黼黻十二章，左傳宣公三年王孫滿說的『昔夏之方有德也，遠方圖物，貢金九牧，鑄鼎象物，百物而爲之備，使民知神姦』，大約便是這一種圖影。不過古代純粹用這一種圖影記事的古蹟已經很難考見了。

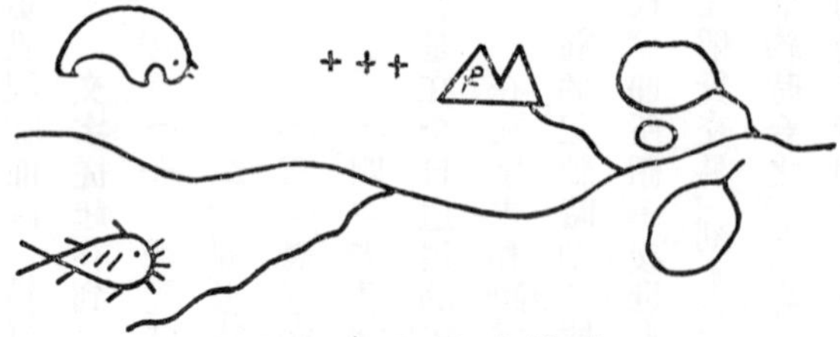

奧吉倍女子的情書

後乎圖影的就是表示各個觀念的象形文字。象形文字是表意文字的第一步。中國普通用作六書『象形』之例的☉☽（日月），用作『指事』之例的⊥丅（上下）等，就是這一步的表意文字。埃及的楷書，表太陽的☉，表月亮的☽，也是這一步的表意文字。由此再進一步，拼合了這等象形文字來表意思，便成了一種完成的表意文字。這在中國如六書中的所謂『會意』，合『人』『木』兩字作一個『休』字，合『刀』『牛』『角』三字作一個『解』字等，就是適例。

表意文字以後便是表音文字了。這里有了一個顯著的分歧：一面埃及楷書的象形文字發達爲行書（僧侶文字）和草書（民間文字）之後，腓尼基人採取楷書及行書造了拼音字母的原形，遞嬗下來，成爲今日世界通行的拼音字母。而一面如我們中國，雖然也有六書中稱爲『形聲』『轉注』等半表音文字及稱爲『假借』的純表音法，卻始終只借固有文字用爲表音記號，直到注音字母，拉丁化字母和國語羅馬字母出現爲止，不曾造出什麼以簡御繁的拼音字母。現在的中國文字，雖然因爲經了幾次字體改變，已經如錢玄同氏所謂『四方的太陽（日），長方的月亮（月），四條腿的鳥（鳥），一隻角的牛（牛），象形字也不象形了』，畢竟還帶有幾分圖形的性質。

文字是訴之視覺的，從記認記號、圖影記號、象形文字等等訴之視覺的方面發達起來，也是自然的趨勢。但單單訴諸視覺，直接表示意思，不同語言連合，必如態勢語似地，繁重而不便應用。既同語言連合，文字就不但表示意義，也且表示語言中訴之聽覺的聲音。文字就成爲語言的標記。普通所謂文字，就是指這兼表音義的文字說的。陳澧東塾讀書記（十一）說：『天下事物之象，人目見之，則心有意；意欲達之，則口有聲。……聲不能傳於異地，留於異時，於是乎書之爲文字。文字者所以爲意與聲之跡也』。是否『爲意與聲之跡』，是現在我們區別文字和非文字的一種普通標準。

用這標準，我們纔把表意和表音的劃入文字之內。而表意文字和表音文字便都由文字形體和意義和聲音三者構成，其分別不過在文字對於意義和聲音的直接間接的關係：直接表聲音，間接表意義的，便是表音文字；直接表意義，又直接表聲音的，便是表意文字。往下將就文字、意義、聲音這三者，加以約略的分析。

五　聲音

語言中的聲音也是一種音。凡是略略翻過物理學的，大約都知道音是由於物體的振動而成。這振動從空氣中或從別種物體中傳達到我們的耳朵，刺激了我們的聽神經，我們就發生了音的感覺。我們知道音有音別、音色等音質。音質是由於許多振動複合所成的色彩。又有強有弱，有高有低。強弱是由於振幅的大小，高低是由於振動的快慢。又有長有短。長短是由於振動延續的久暫。此外還有發音的時分，發音的地點，發音的方向、距離等。凡是音，必都具有這些因素。而音到了耳朵，還將有使人覺得愉快或覺得不愉快等情調的反應。

語言的聲音也是一種音，當然也具有這種種因素。但語言中的聲音並不像別種物體的音，例如上課的鐘聲，喫飯的鈴聲，那樣簡單。鐘聲、鈴聲是反射的，語言的聲音卻是有意表出的。這有意表出的聲音，或許當初也有一些是摹擬事物的聲音，但當約定俗成之際，卻都要依照社會的約束、習慣。無論所用的音素，音素的排列以及其他種種，都依現有的習慣。習慣假如不同，聲音也便不能一律。世界語言所以千差萬殊，便是因爲習慣不一致的緣故。

又全具這些因素的乃是一種具體的聲音。具體的聲音例如誰說『我在讀書』，自然具有以上種種的因素。你的口音和他的口音不同，便是音質的不同。你也許說得輕，他也許說得重，便是強弱的不同。你也許說得尖，他也許說得粗，便是高低的不同。然而口音等等，平常說話聽話多半是不計的。平常說話聽話的經程是這樣：

說者　意思（意義）↓聲音意象↓發音

聲音

聽者　意思（意義）↑聲音意象↑聽音

全經程是由從意思到發音，從聽音到意思的兩個作用聯合而成。聯合兩作用的是聲音。做各個作用的中介的是聲音意象。聲音意象平常多不過是抽象的聲音。由於各個具體的聲音中，抽去許多各別的因素，單單留下一些共同的因素構成。固然沒有時分、地點、方向、距離等因素，也沒有音色、輕重等因素。只是一個漠然的聲音意象。我們平常說話聽話時都以這種抽象的聲音意象做基礎。例如現在你有必要，要說『我在讀書』這句話，這時這個抽象的聲音意象就浮現上來。隨後你的發音器官（喉舌等等）應和着動，便可發音。這時所發的聲音是一個具體的聲音。有個人的音彩，有一定的時分地點等等因素。這個具體的聲音比之抽象的聲音，內容屬性多好多。但這些多的屬性平常你並不留意，你只要抽象聲音的屬性能夠被包含在這具體的聲音中，便算已經達到了目的，你便覺得心滿意足了。你所要發的，畢竟只是單含抽象聲音因素的聲音。此外的屬性，例如音色等等，你並不關心。說的人如此，聽的人也是如此。聽的人平常也只注意對方具體聲音中，關於這抽象聲音的一部分。除非是特別引人注意的話，總不將那具體的聲音一併記住。所以語言學上，頗有人將語言聲音所含的因素，分作固有的和臨時的兩種。將具體聲音中，各個具體聲音所共通的抽象部分，叫做『固有因素』；各個具體聲音臨時所加的因素，叫做『臨時因素』。

六 形體

文字的形體也是社會約束的習慣的東西，與信筆塗抹不同。那約束最重要的，便是前頭說過的『爲意與聲之跡』，做書面語言的標記，代表語言的兩個因素：聲音和意義。故與單表意義的圖影，單表意義的數學記號等類標記不同，也與單表聲音的音標不同。古今中外的文字所以千差萬殊，也便是因爲文字形體與約束習慣關係複雜各別的緣故。

形體也有具體和抽象之分。某人在某時某地所寫的是具體的形體。具體的形體有特定的書體、筆勢、大小。有特定的位置、方向、行式。又有特定的墨色、紙質等等。並且有特定的時間：什麼時候寫，可以保存到什麼時候等。例如殷代的獸骨龜甲文字到現在還被保存。此外也有一種看形體時所反應的情調。如好字看了使人愉快，壞字看了使人不快之類。具體的文字形體，必都具有這等一切的屬性。

但我們平常對於文字形體所存的觀念，也多不過是抽象的形體。由各個具體的形體中，抽去許多各別的因素，單單留下些許共同的因素而成。所以將具體的形體分析，也可以發見中間含有『固有因素』和『臨時因素』。臨時因素是經幾次經驗之後會被抽去的成分，如我們心裏的一個『大』字，便沒有一定的大小，或什麼人的筆跡，乃至紙質墨色等等。只是一個漠然的『大』字。這漠然的『大』字，便是『大』字形體的固有因素。

形體的固有因素大約只有下列幾項：（一）筆畫，如『大』字有一畫，一撇，一捺。（二）個數，如『大』是一個字，『一』是一個字，『一』『大』相合爲『天』，也是一個字。我們平常寫字、認字、也不過拿這幾項固有因素做基礎。

七　意義

用某聲音或某形體代表某意義，也是一種社會的約束習慣。如圖，或以聲音代表意義，如一切的語言；或取雙重關係，以形體代表意義，又以形體代表聲音，如一切的表意文字；或取單重關係，仍以聲音代表意義，只以形體記出聲音，如一切的表音文字，都無不可。不過聲音和形體原不過是一種標記。標記的作用只要能夠引起所意謂的事物的聯想便算有效。有效的程度相等，標記本身便愈簡便愈容易愈好。採取雙重關係，無異疊架重牀，照現在看來，實無必要，而且也不能完全做到。如前頭說過的，中國文字中也已經有一部分的表音文字，便是不能完全做到的明證。又因爲聲音形體只是一種標記，並非事物本體的摹本，只要標記和事物的聯想能夠成立，就可完成任務；聲音、形體、意義三者，實際也有變更的可能。

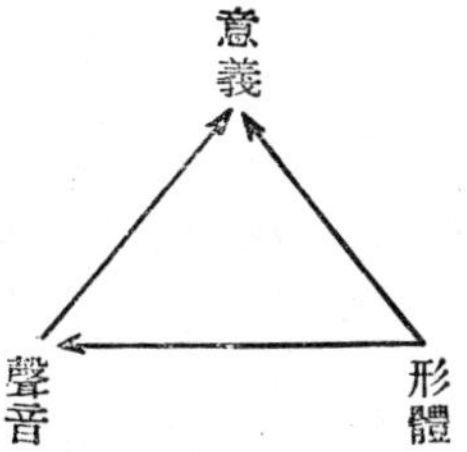

意義也有具體抽象的區別。這與心理學或邏輯學上所謂概念觀念相當。平常出沒在我們知覺、記憶、想像中間的，常是事物的觀念。觀念是具體的。如馬，必是或黑或白，或大或小，或肥或瘦，或馴或野的馬。而『馬』這一個聲音或這一個形體所代表的，卻是包括一切具有黑白等毛色，大小肥瘦等形體，及馴野等性格的馬，便是事物的概念。概念是由事物經過幾次經驗之後，抽異存同，我們的心理構成，是抽象的。這抽象概念所含的屬性自然和具體觀念所含的屬性不同，比之具體觀念所含的屬性少好多。如『馬』就只含有四脚、善跑等少數共有的因素。從概念所內函的因素說，這『馬』竟可說不是那些含有特殊因素的『白馬』『黑馬』以及其他種種的馬。所以中國古時公孫龍曾有所謂『白馬』非『馬』說。但從所涉及的外延說，這『馬』卻又能夠包括那些含有特殊因素的『白馬』『黑馬』以及其他種種的馬。只要是同類的個體，都可以應用。倒比單能表示各個觀念的簡便得多。

一切語言文字的意義，平常都是抽象的，都只表示這等概念。就是固有名詞的意義也只表示概念。固有名詞如西湖，初看似乎是代表西湖的觀念，但西湖也有晴雨，有熱鬧冷靜等等的特殊相，單講西湖也已經將這等特殊相抽去了，也只是一個概念。概念所含的因素，是意義的『固有因素』。

及至實際說話或寫文，將抽象的來具體化，那抽象的意義纔成爲具體的意義。例如西遊記第十六回唐僧在觀音院前『下馬進門』。那馬便是一匹鞍轡齊全，性格馴良的白馬。雖然單說一個『馬』字，『馬』字所含便已不止『馬』字概念所含的因素，另外還含有毛片性格等等許多的『臨時因素』。

照此看來，語言文字的聲音、形體、意義，都有固有和臨時兩種因素。這等因素平常都只憑着經驗來分析。經驗不同，分析也就不能符合。一個有特殊發音經驗的，或許對於發音的運動感覺特別留心。一個特別愛好寫字或特別歡喜揣摩字眼的，或許對於字眼的好歹或筋肉感覺特別淸楚，甚至併入固有因素之中。可是未必人人如此。至於意義，更是這樣。意義的體會常隨經驗而不同。常因經驗不同而各人的聯想感想不能互相一致。例如說白馬，我此刻想起了唐僧的白馬，你也許想起了白馬將軍的白馬，另一些人或許又想起了上海跑馬廳的白馬。而對於白馬的情趣和價值，也就各人的感想不能全同。對於含情的字眼，更是如此。

八　語言和文字的關係

以上大體就單音、單形而說。此外單音、單形的組合，如音質上單音的多少，單音的先後等等，也都與意義有關係。我們總看聲音、形體和意義的情狀，大抵平常總只是抽象的，只有一些固有因素，及至實際應用，這纔成爲具體的聲音，具體的形體，具體的意義。聲音要到實地發音，纔成爲具備所有因素的具體聲音，形體也要到實際寫在紙上，纔成爲具備地位、方向、大小等一切因素的具體形體。意義也是一樣，必要到實地應用纔成爲具備實際一切因素的具體意義。其所加的臨時意義，大抵都由情境來補充。例如我此刻對你說，『請你把書閉攏』，你必定知道我說的就是你剛纔所看的一本書，有一定的大小顏色等等一切因素，而不止是書的概念所含的因素。這除出概念因素以外的臨時因素，便是情境所補充的因素。此刻的情境是實際的環境；如果不是實際的環境，必是文字的背景。如前舉『馬』的一例，便是由於情境補充，我們因此知道它是說鞍轡齊全，性格馴良的那一匹白馬。此外意義的臨時因素，大抵憑聲音形體的臨時因素來表示。聲音和形體的關係也是如此。如意義上特別着重的，在聲音上可以相應地說重，文字上也就可以相應地寫大或印大。又如意義上有斷續的，在聲音上可以用斷續表示它，在文字上也可以用虛線表示它。再如一個人傳述兩個人對話的時候，在聲音上可以變更地點來表示，在文字上也就可以變更行列來表示。其他書體、方向、行式、墨色、紙質等等臨時因素，也無不可供利用。

還有說話，可以用態勢幫助，使人明瞭或注意。文字也可以用圖畫幫助，使人明瞭或注意。

大抵用聲音代形體，或用形體代聲音，都有相當的可能。不過聲音是聽覺的標記，形體是視覺的標記，所訴的感官既然不同，功用自然也有不能交替的所在。訴之聽覺的有時不如語言。例如現在文字固然對於聲音的高低強弱等等多沒有表示，就使有表示，也決不能記錄下具體語言的一切臨時因素。語言的臨時因素很多，如某一個人特有的音色、聲調、抑揚、緩急等都是。要用文字精密地記錄下這些具體聲音因素的全部，總覺得是不可能。萬不如同是訴之聽覺的留聲機。而訴之視覺的，卻又有時不如文字。例如文字上，可以用各式的提行、空格、空行，各種的行式，各種的書體，各種的墨色，各種大小不同的鉛字，各種的地位方向，來表示意義的變化，語言上卻又覺得不能完全做到。又文字可用種種的記號，如文字的標點：、（頓號），，（逗號），；（停號），：（集號），·（住號），？（問號），！（歎號），「」或『』（提引號），（）或〔〕（夾註號），——（轉變號），……（虛闕號），——（專名號，加在專名的上下左右），～～（書名號，加在書名的上下左右）。數學的記號：＋（加）、－（減）、×（乘）、÷（除）、＝（等於）、＜（小於）、＞（大於）等，以及其他化學物理等一切記號。最重要的還是各種的圖表。圖表可以刺激人的眼目，使人一目瞭然，而語言卻總無法做到那樣的簡明。例如下列一表（史記十二諸侯年表），便是一例。我們試改用語言朗述一遍，便知它是如何的簡明。

		庚申			
周		共和元年以宣王少大臣共和行政	二厲王子居召公宮是爲宣王	三	四
魯	眞公濞	十五年一云十四年	十六	十七	十八
齊	武公壽	十年	十一	十二	十三
晉	靖侯宜臼	十八年	釐侯司徒元年	二	三
秦	秦仲	四年	五	六	七
楚	熊勇	七年	八	九	十
宋	釐公舉	十八年	十九	二十	二十一
衛	釐侯	十四年	十五	十六	十七
陳	幽公寧	十四年	十五	十六	十七
蔡	武侯	二十三年	二十四	二十五	二十六
曹	夷伯	二十四年	二十五	二十六	二十七
鄭					
燕	惠侯	二十四年	二十五	二十六	二十七
吳					

九 中國語文變遷發展的大勢

中國語文正在蓬勃發展，這里且讓我們簡單談談中國語文變遷發展的大勢。

中國語文變遷發展的大勢，單講漢語，可以簡括爲三點來說：

第一，語文合一了　中國語文曾經有過一個語文分離的時期。一般書面都用遠離口語的文言文。但接近口語的白話文還是作爲通俗寫生用語，作爲文學哲學用語，在社會上流行。千百年來不斷地逐漸地發展。終至發展成爲比之文言文更便於寫生活，記事物。到了『五四』前後，經過稱爲『文學改革』的運動一推動，它便取了文言文的地位而代之，成爲大家公用的文體。中國語文從此消滅了語文分離或言文分歧的現象，重新確立了『語文合一』或『言文一致』的語文正常關係。這種語文合一的文體正在日益擴展它的應用範圍，正在日益充實它的成分，經常從民間，從古代，從外國，吸收好的有用的成分來豐富自己。而廣大民衆也經常從這種文體中吸收有用的成分使自己的語言更精鍊，更普通，逐漸形成爲一種新型的普通話，爲廣大的民衆傳情達意之用。這是中國語文變遷發展的總的趨勢。這是第一點。再就中國語文的組織來說，

第二，詞的構成多音節化了　中國語文增添新詞，一般早就停止使用造字爲詞的老方法，改用組字爲詞的新方法。中國的字是單音節的，組字爲詞組成的詞一般是多音節的。開始組字爲詞就是開始多音節化。組字爲詞的方法用得越多，多音節化的趨向也就越加顯著。組字爲詞的方法在白話文中本來很盛行，在最近幾十年來的白話文中尤其用得普遍。現在不但增加新詞，常用這種方法來創製新詞，就是引用舊詞，也常用這種方法來改換舊詞。例如『道聽塗說』的一個『道』字，我們現在引用就會增爲『道路』兩字，『天下有道』的一個『道』字，我們現在引用就會增爲『道理』兩字。詞的構成這樣的多音節化，可使詞的聲音意義都更明白分明，也使詞的構成本身更有錯綜變化。雖然多音節化的詞用漢字寫出來，看去還都是一塊塊的，但它多已不是各自獨立的分散的塊塊，而是結成長短不一的條條的塊塊了。這是第二點。

第三，文法組織更加精密靈便了　文法組織，無論是詞的組織，還是句的組織，都是比之某些詞彙較難變動的，但在中國語文中也已經有了不少的變動，改進。例如莊子齊物論說：

我勝若，若不我勝，我果是也，而果非也邪？

第一個『若』字和第二個『我』字同是賓語，卻把一個放在謂語後面，一個放在謂語前面，組織上彼此歧異不一。這種歧異不一的組織，現在就已經不用了。這在現在說起來，一定是說『我贏了你，你贏不了我』，兩個賓語都放在謂語之後，沒有什麼差別了。這就是現在文法組織更加靈便的方面。此外如『他』、『她』、『它』的分化，『的』、『底』、『地』的分用，『那』『哪』的分用，等等，現在文法組織比之以往更加精密的處所也不少。這是第三點。

總之，我們國家的語文已經日益發展成爲更豐富、更靈活、更精密、更完美的語文。這種中國語文變遷發展的大勢，實是年來中國語文改進和文字改革的大根基。我們講究修辭，需要明澈中國語言文字的一切可能性，尤其需要明澈這種中國語言文字變遷發展的大勢，正確地靈活地加以闡發和利用。

第三篇　修辭的兩大分野

一　形式和內容

照前篇所說的看來，可見語言本身也便有形式和內容兩方面，音形便是形式，意義便是內容。如把這等內容便作寫說的內容，那麼，鴝鴒鸚鵡也能仿效人的語言，鴝鴒鸚鵡仿效的人語，也便可以說是有內容的說話了。但是這里有一個重大的界限，便是所謂調節。人禽在語言上的分界，便在禽類不能用有調節的聲音，而人類卻不特用調節的聲音，還將那調節的聲音調節地隨應意思的需要來使用。

人類，除了小孩把新學來的語言說着玩之外，大抵都是隨應意思內容的需要調節地運用語言文字的形式。這內容是指第一篇所謂意旨的內容，題旨的內容，而非僅指附隨形式，玩着形式也便帶有內容的語言的內容。語言的內容，對於寫說的內容只能算是一種形式的內容，在討論文章說話時常常把它歸在形式的範圍之內。

內容形式原是不能截然分開的。我們無法做到形式變了而內容不變，或內容變了而形式不變的地步，像煞我們穿着衣裳一樣，脫了這件，穿上那件，或這人穿過，又給旁人去穿。但若並不忘記它們的關聯作用，卻又未嘗不可以把它們分開來說。

我們對於它們，當然期望形式能夠和內容調和。但是事實上，只有內容形式兩並充足的時代能夠如此。此外大抵或者偏重內容，或者偏重形式，有些畸形的狀態。不過內容偏重的畸形是一種上升的畸形，形式偏重的畸形卻是一種沒落的畸形。其發展的順序大抵如下所列：

（一）內容過重時期

（二）內容和形式調和時期

（三）形式過重時期

當一種新內容纔始萌生或者成長的時期，總覺得沒有適應的形式可以把它恰當地傳達出來，原有形式的遺產縱然多，也覺得不足以供應付。而急於探求新形式的意識，或又使人失去一部分利用舊形式的興趣。於是便有一種形式缺乏的現象發生。使人覺得生硬，覺得傳達得不適當，不自然。這我們稱它爲內容過重時期。內容過重一般並不是故意的，只爲謀求『言隨意遣』，而言尙不足以供應付，意又尙不足以創成新形式，這纔發見了這樣的現象。這現象是每一新內容要求有自己適應的新形式的開創時期一種公有的現象。最明顯的，如佛教輸入，文學輸入，以及自然科學社會科學的輸入時期，都曾有過這樣的現象。

其次便是形式進步，足以應付內容，而內容也更豐富深厚，足以副稱形式的時期。這就是王充所謂『外內表裏自相副稱』的時期。

再過，內容有些涸竭的情形，單想從形式這一面取勝，便是一個將近沒落的形式過重時期。對於形式，像鬥測巧板似地，竭力求其工巧，而於內容卻是死守舊見，不事開展。這樣的時期，名爲形式過重，其實也不是眞的形式過重。因爲形式所有的不過是概念，沒有內容去充實它，那概念也就是一個不活潑不生動的死概念。沒有現實的意義，也沒有眞實的力量。名爲偏重形式，其實正是形式的蹧蹋。

這對於個人，也是同樣的眞實。

二　內容上的準備

個人固然少不了形式上的學習，同時更其少不了內容上的磨練。這磨練是使我們『有諸其中』的唯一的源頭，也是使我們形式成爲富有現實意義現實價值的唯一的樞紐。磨練工夫約有下列幾項：

（1）生活上的經驗——生活上的經驗，不但使我們多識多知，也與一個人的思想見解趣味非常地有關係；差不多暗暗之中，做着思想見解趣味等等的無形的最後裁判。無論外延的廣涉的經驗，和內函的深入的經驗，都屬必要。而深入的經驗，更能補助我們想像未曾經驗的境界。

（2）學問——實際不曾經驗過的，可以借學問的力量來補充。但要探求生活直接所要求的學問。學問越是生活直接所要求的，越能給人生命，使親近它的人得到了實際的學力。對於那種學力的淺深和廣狹，也就像對於生活上經驗的淺深和廣狹一樣，將要無可隱藏地反映在寫說上。

（3）見解和趣味——經驗和學問累積的結果，就會形成了個人特殊的見解和趣味。而個人特殊的見解和趣味，也能左右個人以後的經驗和學問。見解如果不能與時並進而化成古怪，趣味不能循向正大滋長而流爲怪僻，則經驗和學問，對於那人也就等於路上的塵埃和垃圾。越積聚得多，越會汚穢了他。

以上是說寫說者必不可少的經常修養，就是所謂儲蓄知識才能的經常方法。有如吳曾祺氏所謂『儲才之法，可儲之於平日，而不能取之於臨時』（見涵芬樓文談）。但是臨時也不是沒有可以經心努力的地方，約略說來，也有二項：

（1）觀察——隨時細心的觀察，在修養上爲醫治見解殭化，趣味腐傾的良藥，在修辭上也是使寫說鮮新活潑能夠關切現實的好法。觀察的規模，可大可小。大規模的觀察，非有長年久月不能告一段落，簡直可以算作一種修養。細小零星的觀察，則在臨時，也未嘗不可以從事。例如所謂小品，多半就是依據臨時觀察所得的結果寫下來的。這大小各面的觀察，都是所謂不以曉得種種的法則的概念爲滿足的人，用着自己的血肉活身心，去應接親近眼前正在顯現正在變動的活事實的事。當然以能穿微入細，明變知因爲最好。因此講觀察的，多將靈敏而深刻，或者細密而銳敏，懸作觀察的理想。而要認眞講究眞實正確，要免除因生理、因習慣、因心理而來的錯誤，也和一般研究科學沒有什麽兩樣。

（2）檢閱——臨時也可檢閱報章、雜誌和書籍。報章、雜誌、書籍上所記的情狀，都已經經過翦裁删節，而且多已經經過揀選泡製。不但不如自己所觀察的，直接而且具體，也且或已轉到另外一個方向，換成另外一副面貌。這比之觀察更須有經驗學問等等做指針，從字裏行間去推求事情的眞際。但記載本來可以用正看、反看、側看等等方法；對於不能正看的，我們也未嘗不可以反看、側看。例如唐俟所謂『歷來都竭力表彰五世同堂，便足見實際上同居的爲難；拚命的勸孝，也足見事實上孝子的缺少』，便是一種反看法。我們不應爲了他們的說話有時不實便簡直拋撇了不顧的。

總之，寫說不純全是椅桌間的修練，在修辭之前少不了要有經驗、學問、觀察、檢閱等種種內容上的準備的。寫說以後的成敗，雖然和寫說當時的生理、心理以及社會環境等類的條件也頗有關係，然而大體總是看這種種準備是否充分爲轉移。

三　兩種表達的法式

這樣準備所得的成果，我們可以用兩種很不相同的法式來表達它：第一種是記述的；第二種是表現的。記述的表達以平實地記述事物的條理爲目的。力避參上自己個人的色彩。常以實事求是的態度，精細周密地記錄事物的形態、性質、組織等等，使人一覽便知道各個事物的概括的情狀。其表達的法式是抽象的、概念的、理知的：

> 類別之事，看似容易，而實甚難。往往一大類之物，欲爲別分小部，不知從何入手。常法但取其及見而便事者以爲分。譬如分小舟，則取用汽用帆用槳用篙；而任重之獸，則云牛馬騾駝驢象駕鹿等；又如家有藏書，則分經史子集。但用此法，自名學規則觀之，往往必誤。故曰難也。蓋如是爲分，不獨多所遺漏，其大弊在多雜廁而相掩入也。中國隆古之人，已分一切物爲五行矣。五行曰金木水火土，意欲以此盡物。則試問：空氣應歸何類？或曰：空氣動則爲風，應作屬木；易巽爲木，而亦爲風。則吾實不解氣之與木，有何相類之處。又鑛質金石相半，血肉角骨自爲一部，凡此皆將何屬？且使火而可爲『行』，則電又何爲而不可？若謂原行不收雜質，則五者之中，其三四者皆雜質也。是故如此分物，的成囈語。中國人不通物理，五行實爲厲階。（嚴復譯述名學淺說三十八節——三十九節）

這類的文章或說話，與科學的關係最密切；其形式也受邏輯文法之類的拘束最嚴緊。

表現的表達是以生動地表現生活的體驗爲目的。雖然也以客觀的經驗做根據，卻不採取抽象化，概念化的法式，而用另外一種特殊的法式。其表達的法式是具體的、體驗的、情感的：

車轔轔，馬蕭蕭，行人弓箭各在腰。耶孃妻子走相送，塵埃不見咸陽橋。牽衣頓足攔道哭，哭聲直上干雲霄。——道旁過者問行人，行人但云點行頻：或從十五北防河，便至四十西營田；去時里正與裹頭，歸來頭白還戍邊。邊庭流血成海水，武皇開邊意未已。君不聞漢家山東二百州，千村萬落生荊杞，縱有健婦把鋤犂，禾生隴畝無東西。況復秦兵耐苦戰，被驅不異犬與雞！——長者雖有問，役夫敢伸恨？且如去年冬，未休關西卒，縣官急索租，租稅從何出？——信知生男惡，反是生女好；生女猶得嫁比鄰，生男埋沒隨百草。——君不見青海頭，古來白骨無人收，新鬼煩冤舊鬼哭，天陰雨溼聲啾啾！（杜甫兵車行）

這類的寫說與社會意識的關係最密切；受社會意識的浸潤也最深。

這可以算是兩個極端的代表。我國以前論表達的法式，如文心雕龍（體性篇）所謂『情動而言形，理發而文見』，湖南文徵序所謂『人心各具自然之文，約有二端：曰情，曰理。二者人人之所同有。就吾所知之理，而筆諸書而傳諸世，稱吾愛惡悲愉之情而綴辭以達之，若剖肺肝而陳簡策，斯皆自然之文』，也是以這兩個極端做代表。此外處在這兩個極端中間的當然也很多。我們可以將它們分成三個境界，就是

（甲）記述的境界，

（乙）表現的境界，

（丙）糅合的境界，

如引言所說。

四　語辭的三境界和修辭的兩分野

因此修辭的手法，也可以分做兩大分野。第一，注意在消極方面，使當時想要表達的表達得極明白，沒有絲毫的模糊，也沒有絲毫的歧解。這種修辭大體是抽象的、概念的。其適用的範圍當然佔了（甲）一境界抽象的概念的語辭的全部，但同時也做着其餘兩個境界的底子。其適用是廣涉語辭的全部，是一種普遍使用的修辭法。假如普遍使用的，便可以稱爲基本的，那它便是一種基本的修辭法。

第二，注意在積極的方面，要它有力，要它動人。與一切藝術的手法相仿，不止用心在概念明白地表出。大體是具體的、體驗的。這類手法頗不宜用在（甲）一境界的語辭，因爲容易妨害了概念的明白表出，故（甲）一境界用這種手法可說是變例。但在（乙）一境界中，卻用得異常多。如前舉杜甫的兵車行中，開端的『轔轔』『蕭蕭』便是。那不用抽象的概念的表出，說它車行，馬嘶，卻用具體的體驗的寫法說它『車轔轔』，『馬蕭蕭』，便是這類手法的應用。此外，（丙）一境界的語辭，如一切的雜文，尋常的閒談等，卻又用不用都無妨。這兩類手法，和三種語辭境界的關係，大體如上圖。

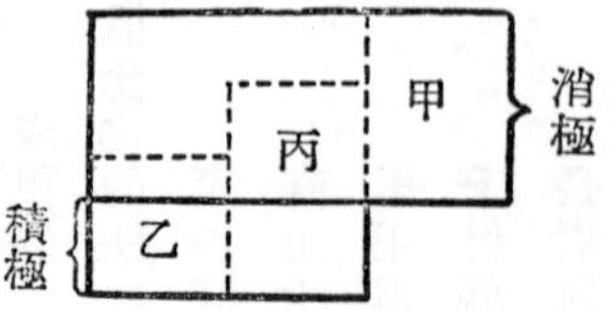

這兩種手法或兩大分野的判別，頗屬重要。因爲我們修辭遇着不能兩全的時候，或須犧牲了一面。那時我們要判斷是否處理得適當，必須看它的本意側重在何方，方纔能夠決定。卽如明白，倘要概念明白，那就杜甫的『車轔轔』『馬蕭蕭』，還不如我們此刻說的車行、馬嘶，而車行、馬嘶的具體性、體驗性，卻萬不及『車轔轔』『馬蕭蕭』。故從積極方面着眼，必須肯定『車轔轔』『馬蕭蕭』，是一種更好的表現法。積極修辭方面，事實上也有爲了表達情感起見，故意說得不明不白的，如所謂婉曲、諱飾之類的修辭便是。例如司馬遷報任少卿書：

恐卒然不可爲諱。

『不可爲諱』就是說他死，但不直說死，便是因爲情感上不忍直說或不便直說的緣故。但雖然這樣換了一個說法，也必仍要看的人或聽的人看得懂聽得懂。所以我們仍說也是以消極的手法做底子。

古來有些關於修辭的爭論，其實便是這兩分野的爭論。例如春秋穀梁傳成公元年：

季孫行父禿，晉郤克眇，衞孫良夫跛，曹公子手僂，同時而聘於齊。齊使禿者御禿者，使眇者御眇者，使跛者御跛者，使僂者御僂者。

後頭四個排句（排句中的『御』，音迓，迎也；下文改作『逆』，逆亦迎也），是本來可以括舉，而故意列舉的。劉知幾以爲不必這樣列舉。在史通敍事篇說：

若公羊（當作穀梁）稱：郤克眇，季孫行父禿，孫良夫跛；齊使跛者逆跛者，禿者逆禿者，眇者逆眇者。蓋宜除跛者已下句，但云：各以其類逆。必事加再述，則於文殊費，此爲煩句也。

魏際瑞（號伯子）又反對這一說。在伯子論文中說：

古人文字有累句，澀句，不成句處，而不改者，非不能改也。改之或傷氣格，故寧存其自然。名帖之存敗筆，古琴之存焦尾是也。昔人論……公羊傳，齊使跛者逆跛者，禿者逆禿者，眇者逆眇者，宜删云各以類逆。簡則簡矣，而非公羊……之文，又於神情特不生動。知此說者，可悟存瑕之故矣。

這一論爭，便是側重消極修辭和側重積極修辭的論爭。

五　兩大分野的槪觀

這兩大分野的詳細情形，我們將在隨後幾篇裏陳說。現在先將這兩分野的內容做一個槪略的觀察。

大概消極修辭是抽象的，槪念的。必須處處與事理符合。說事實必須合乎事情的實際，說理論又須合乎理論的聯系。其活動都有一定的常軌：事實的常以自然社會的關係爲常軌；理論的常以因明邏輯的關係爲常軌。我們從事消極方面的修辭，都是循這常軌來做伸縮的工夫。關於事實的，例如：左傳莊公八年：

僖公之母弟曰夷仲年，生公孫無知，有寵於僖公，衣服禮秩如適。襄公絀之。

管子大匡篇作：

僖公之母弟夷仲年，生公孫無知，有寵於僖公，衣服禮秩如適。僖公卒，以諸兒長，得爲君，是爲襄公。襄公立後，絀無知。

既少一個『曰』字，又多『僖公卒，以諸兒長，得爲君，是爲襄公』一句，卻仍無妨爲完文，便是因爲未出常軌的緣故。關於理論的，如莊子知北遊篇說：

人生天地之間，若白駒之過卻，忽然而已。

而盜跖篇卻作：

天與地無窮，人死者有時。操有時之具，而託於無窮之間，忽然無異騏驥之馳過隙也。

化一句做二句，又把『若白駒之過卻，忽然而已』伸長作『忽然無異騏驥之馳過隙也』，也因仍在同一常軌之中，所以沒有妨礙。但若變作『異於騏驥之馳過隙』，那就破壞了常軌，不特與知北遊的話不相符，便與上文的話也是不相合不可通了。在這分野裏邊，就是先後的順序也可以依事實或理論的關係來斷定。如左傳僖公二十五年：

趙衰爲原大夫，狐溱爲溫大夫。——衞人平莒于我。十二月，盟于洮。修衞文公之好，且及莒平也。——晉侯問原守於寺人勃鞮，對曰，『昔趙衰以壺飧從徑，餒而弗食。』故使處原。

王引之說這段話裏有錯簡，『晉侯』以下二十八字應移在『衞人平莒于我』之前，因爲『故使處原』正是說趙衰應當做原大夫的原由，必當緊接在『趙衰爲原大夫』的紀敍文之後（見經義述聞十七），便是根據事理來斷定文字應有順序的一個例。這一分野的修辭，第一要義在能盡傳達事理的責任。其價值如何，就要看寫說的結果和事理的眞際是否切合或切合的程度如何而定。因此就以明確、通順、平勻、穩密等顧念事理的條件，爲修辭上必要的條項。

然而積極的修辭，卻是具體的，體驗的。價值的高下全憑意境的高下而定。只要能夠體現生活的眞理，反映生活的趨向，便是現實界所不曾經見的現象也可以出現，邏輯律所未能推定的意境也可以存在。其軌道是意趣的聯貫。它與事實雖然不無關係，卻不一定有直接的關係。卽如前舉莊子的例，一樣的意思在知北遊中說『白駒』過卻，在盜跖中卻說『騏驥』過隙，事實雖不同，意旨仍相倣，在這一分野中，便沒有高下可分。又如戰國策魏策一，蘇秦對魏襄王說的

人民之衆，車馬之多，日夜行不休，已無異於三軍之衆。

這一句，史記蘇秦列傳作：

人民之衆，車馬之多，日夜行不絕，輷輷殷殷，若有三軍之衆。

多了『輷輷殷殷』四個摹狀辭，雖然這是依據想像添上的，也並沒有什麼不實的嫌疑。再如李白的秋浦歌：

白髮三千丈，緣愁似個長；
不知明鏡裏，何處得秋霜。

所謂『白髮三千丈』更是事實上所不會有的事。它是情趣的文，自然沒有什麼可議；假如放在（甲）一境界中，便得受沈括的譏笑了。大抵這分野的修辭，多訴諸我們的體驗作用，多不用三段論法或什麼分析，常照我們體驗的想像的眞感實覺直錄下來。在是眞實的一點上，原可與前一分野的語辭並肩，——例如說白髮三千丈，也同說白髮幾寸幾分，各自占領了眞實的一面，難以分別上下。但這以具體的體驗的描寫爲主的傾向，到底與前一以抽象的概念的說明爲主的分野不同，就使不能劃然分開，也必不能茫然混同。

在這一分野裏的修辭條項，約有辭格和辭趣兩大部門。辭格涉及語辭和意旨，辭趣大體只是語言文字本身的情趣的利用。

修辭現象
- （甲）消極的——明確、通順、平匀、穩密
- （乙）積極的——辭格、辭趣

六　兩大分野的概觀二

以上大體就意旨一面而說。再看語辭本身及語辭所須適應的情境，也是兩個分野很有一些不能混同的地方。

消極手法是抽象的，概念的，對於語辭常以意義爲主。唯恐意義的理解上有隔閡，對於因時代、因地域、因團體而生的差異，常常設法使它減除。又唯恐意義的理解上有困難，對於古怪新奇，及其他一切不尋常的語法，也常常設法求它減少。有時還怕各人的理解不能一致，預先加以界說，臨時加以說明。總之力求意義明白，而且容易明白。

同時也幾乎就以明白爲止境。對於語辭所有的情趣，和它的形體，聲音，幾乎全不關心。固然有時也留心聲音的混同或響亮，比如說到『形式』『型式』兩詞容易混淆，『集體』『集團』兩詞聲音的差別等等，實際仍以意義爲主，是爲意義的明白而討論聲音，並非對於聲音本身有任何的關心。對於形體，也持同樣的態度。

但積極修辭卻經常崇重所謂音樂的、繪畫的要素，對於語辭的聲音、形體本身，也有強烈的愛好。走到極端，甚至爲了聲音的統一或變化，形體的整齊或調勻，破壞了文法的完整，同時帶累了意義的明晰。像張炎的詞源裏說他的父親做了一句『瑣窗深』，覺得不協律，遂改爲『瑣窗幽』，還覺得不協律，後來改爲『瑣窗明』，纔協律了。爲了協律起見，至於不顧窗子到底是幽暗還是明敞，隨意亂改，原是不足爲據。但在不改動主意的範圍內，爲了聲音或形體的妥適而有種種的經營，卻是一種常見的現象，也是一種不必諱言的事實。不必說講求格律的詩和詞，不免有這類經營，就是不講求格律的散文，有時也不免有這類經營的痕跡。例如孟子滕文公上：『夏后氏五十而貢，殷人七十而助，周人百畝而徹』。『五十』『七十』之下都省去了『畝』字，到了『百』字之下纔說出一個『畝』字，我們固然說它是探下省略的修辭法，但何以要在這里應用探下省略呢？恐怕句調的勻整便是一個重要的原因。不過兩面比較起來自然在詩詞歌謠之類的語辭上比較地講究些。但這也只是量的問題。卽如我們常言，說『幾何』有時也說『幾幾何何』，說『轉彎』有時也說『轉轉彎彎』，這在尋常文法也可說是不很通順的，但爲聲音的關係，卻也流行得極普遍。至於析字、雙關之類，更完全是形音的利用。可見一切的積極修辭都是對於形式本身也有強烈的愛好；對於語辭的形、音、義，都隨時加以注意或利用。這兩大分野形式內容的不同，我們可以把它畫成一個粗略的想像圖如上。

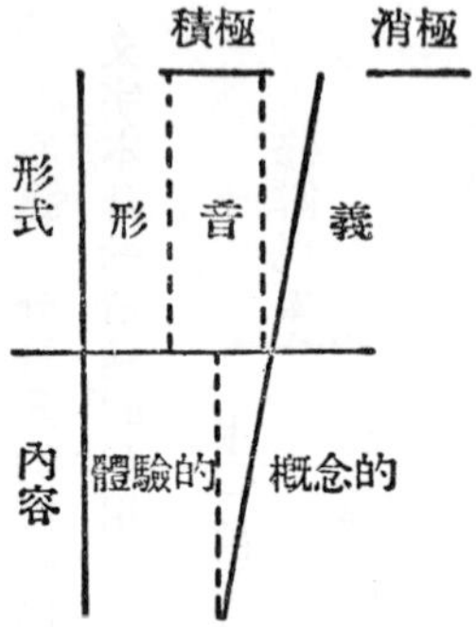

因爲積極修辭是利用語辭的本身的，故頗有些方式無法譯成語辭不同的別種語文。例如雙關、析字之類，利用形音的，便難譯成形音不

同的別種文字。如回文、對偶之類，利用中國文言文的特性的，就是譯成現代口頭語也覺爲難。回文是少女的刺繡，對偶是壯夫的雕蟲，它們在現在原已不切實用，不過我們也還可以從中窺見歷來如何利用文字各種因素的苦心。

總之，消極修辭是抽象的概念的；積極修辭是具體的體驗的。對於語言一則利用語言的概念因素，一則利用語言的體驗因素。對於情境也一常利用概念的關係，一常利用經驗所及的體驗關係。一只怕對方不明白，一還想對方會感動、會感染自己所懷抱的感念。這兩種手法同時使用時，如（乙）一境界的寫說，固然常常不分先後。並非先用消極手法，隨後用積極手法。或先用積極手法，隨後用消極手法。常常一面要說得使人明白，一面又想說得使人感動，把兩面修辭的工夫同時履行。但當用某一手法覺得妨礙了別一種手法時，或當觀察純用某一種手法，或某一種手法的特殊一部分時，如觀察偏於消極的科學文字，或玩用聲音文字或玩用特一方式的歌謠時，必會顯明地浮出這兩大分野的區別。而知這兩分野的區別，乃是一種實際的區分，並不是什麼無關緊要的觀念的遊戲。

第四篇　消極修辭

一　消極修辭綱領

記述的境界，如科學文字、法令文字及其他的解說文等，都以使人理會事物的條理，事物的概況爲目的。而要使人理會事物的條理、概況，就須把對象分明地剖析，明白地記述。所以這一方面的修辭總是消極的，總拿明白做它的總目標。而要明白，大抵應當：（1）使它沒有閒事雜物來亂意；（2）沒有奇言怪語來分心。所以所用的語言，就要求是概念的、抽象的、普通的，而非感性的、具體的、特殊的。因爲概念的、抽象的、普通的語言，纔能使它的意義限於所說，而不含蓄或者混雜有別的意思：若用感性的具體的特殊的語言，那就無論如何簡單，也總有多方面可以下觀察、下解釋，而且免不了有各自經驗所得的感想附雜在內，要它純粹傳達一個意思，實際非常爲難。又所用的語言，也須是質實的、平凡的；不是華麗的、奇特的。因爲假如用了華麗奇特的語言，又將使讀者分心於語言的外表，而於內裏反不留心了。所以消極修辭的總綱是明白，而分條可以有精確和平妥兩條。而要將這總綱分條應用於實際，卻不妨按照普通說法，將記述的話語文章先分析爲內容和形式兩方面；而將實際應講的隸屬在它下面。

話語文章通例可以分爲內容和形式兩方面。內容方面是寫說者所要表出的意思，外形方面是表出這意思的語言文字。所以消極的修辭，照例也可以分為兩部。一部是偏重內容一方面，應該討論如何纔得把自己的意思明通地表出來，這部所注重的是意思之明通的表出法。另外一部是偏重形式一方面，我們將要討論如何纔得把自己的思想平穩地傳達給別人；這部所着眼的是語言文字之平穩的使用法。要把意思明通地表出來，在話語文章上就需要具備明確和通順兩條件；要把意思平穩地傳給別人，在話語文章上就需要具備平勻和穩密兩條件。所以本章細分起來，共有四端。這四端是消極修辭最低的限度，也是消極修辭所當遵守的最高的標準。所謂四端如下：

- 內容方面
  - 明確
  - 通順
- 外形方面
  - 平勻
  - 穩密

二　意義明確

文章內容方面，共有明確通順兩個條件，上文已經說過了。現在就從明確這一個條件先加細說。

要明確就是要寫說者把意思分明地顯現在語言文字上，毫不含混，絕無歧解。這件事說來雖然容易，做到也頗煩難。但不做到這般地步，所謂表達思想的表達，也便成了不很可靠的話。所以雖然不大容易，也宜首先努力。

努力的途徑不外兩途：第一力求內容本身上的明確；第二力求表出方式上的明確。內容本身如不十分明確，語言自然含混，不敢斷言。卽使斷言也是似是而非，別人無從理會。故要說話明確，寫說者必當在未曾拿筆或者開口的時候，先把自己意思的頭緒理得極清楚，面面都想到，又復節節都認眞，凡是力所能及一毫不肯放鬆，纔是正當態度。

內容本身既經理得清楚了，第二應當努力的就是表出方式上的明確。這事頭緒，約有下列三端：

(一)用意義分明的詞

(二)使詞和詞的關係分明

(三)分清賓主

(一)應用意義分明的詞　文章根本的原素是詞，所用的詞如其意義模糊，或者意義繁雜，所說必然隨着意義不明。故凡意義不很明白分明的詞，都該避去不用。無法避去，便當立加解釋。例如『以上』兩字，便有兩種數法：(一)作連身數，從本數數起，如說『二以上』，便是說從二數起直至無窮；(二)作離身數，從本數的下一數數起，如說『二以上』便是說從三數起直至無窮，『二』的本身卻不在內。諸如此類盡當審愼斟酌，可避則避。

話中有同義異詞或同詞異義的現象時，每易有不明確的弊病。如：

我今特來借三寶，暫且攜歸陷空島。南俠若到盧家莊，管叫御貓跑不了。(三俠五義第五十回)

便須細辨纔能明白盧家莊就是陷空島，御貓就是南俠。又如：

世有伯樂，然後有千里馬。千里馬常有，而伯樂不常有。故雖有名馬，祇辱於奴隸人之手，駢死

於槽櫪之間，不以千里稱也。（韓愈雜說）

用了兩個『千里馬』，兩個『千里馬』又非代表一樣的意思，——如是代表一樣的意思，這兩句句子便互相矛盾了，便不能既說要有伯樂纔有千里馬的話，又說什麼伯樂不常有而千里馬卻常有的話，——這也需要細心分辨方纔知道第一個『千里馬』是說千里馬的名，第二個『千里馬』是說千里馬的實，與前面『以上』兩字同類。諸如此類的掉文換意，除非別有特殊的需要或趣味，總是不掉不換的好；不掉不換，少有費解誤解的危機。王若虛在滹南遺老集（三十五）中說：

退之盤谷序云，『友人李愿居之』。稱友人則便知爲己之友，其後但當云，予聞而壯之，何必用『昌黎韓愈』字。柳子厚凌準墓誌既稱『孤某以其先人善予，以誌爲請』。而終云，『河東柳宗元……哭以爲誌』。山谷劉明仲墨竹賦既稱『故以歸我』而斷以『黃庭堅曰』，其病亦同。蓋予我者自述，而姓名則從旁言之耳。劉伶酒德頌始稱『大人先生』，而後稱『吾』。東坡黠鼠賦始稱『蘇子』而後稱『予』……皆是類也。前輩多不計此，以理觀之，其事害事，謹於爲文者，當試思焉。

話雖然似乎說得太認眞一點，其實也是有益的忠告。——總括一句話，要求明確先得從所用的詞彙求其個個明確起。

（二）應使詞和詞的關係分明　把許多詞聚合起來，便是一句、一段、一章、一篇。句段章篇之中，都有詞和詞的關係。既求詞的本身明確，其次還當力求詞和詞的關係分明。關係倘不分明，則各個詞義就使極其分明，所表出的思想還是會模糊的。卽如幾年前我國報紙上曾就『某國的民主主義的發展』

這個標題展開了討論。當時有人指出這個標題的意義不明，含有歧解。（一）可作『某國底民主主義的發展』解；（二）可作『某國底民主主義底發展』解。於是便有許多人發表了許多改進的意見。結果，多說單用一個『的』字，關係不易分明，主張於『的』字之外，再用一個『底』字。有些時候，另外還當添用一個『地』字，做副詞的語尾。現在所以有人有『的』『底』『地』分用的習慣，就是從那個時候起的。分用的理由，其實很簡單，不外本節所說的要使詞和詞的關係分明罷了。為求詞和詞的關係分明起見，像那樣分用詞的新習慣也要不怕麻煩從新養成，假使無須如此麻煩，只須把文字上下一倒或只須把文字略略修改便可確定關係的，寫說者自然更該努力了。

又為詞和詞的關係分明起見，用代詞也須注意。用代詞代替名詞，決不可用到叫人猜不透代的是什麼名詞。滹南遺老集（三十五）說：

> 退之行難篇云，『先生矜語其客曰，某，胥也；某，商也。其生某任之，其死，某誄之』。予謂上二某字，胥商之名也。下二某字先生自稱也。一而用之，何以別乎？

便是此意。大抵用代詞過多或用名詞過少，都容易犯這毛病。如左傳桓公十八年：

> 春，公會齊侯於濼，遂及文姜如齊。齊侯通焉。公謫之。以告。夏四月丙子，享公，使公子彭生乘公，公薨於車。

我們可以有『齊侯通焉』，通誰？『公謫之』，謫誰？『以告』，誰以告？告於誰？等懷疑，而管子大匡篇作：

> 魯桓公：遂以文姜會齊侯於濼。文姜通於齊侯。桓公聞，責文姜。文姜告齊侯。齊侯怒，饗公。

使公子彭生乘魯侯，脅之。公薨於車。

複用了幾個名詞便覺異常明白，無可致疑。但這和代詞有沒有分別，有沒有分化有關係；代詞分化之後就不必複用名詞也可以使它的關係分明。例如：

這殷勤的女人說後，就依了約翰，
立即領了他走到她的墳地，
那里，讓他獨自與苦痛同在，
他跌倒在愛人的墳邊，流着眼淚。

他想念着過去的、美麗的時光，
她的純潔的眞心燃燒着情燄，
她的甜蜜的心，她的嬌媚的臉——
凋謝了，此刻在冰冷的地下長眠。

雖然重用了幾個他稱代詞，也覺仍無疑問；假使仍像從前那樣『他』『她』不分，便非複用名詞，不能使它這樣明確了。

還有，爲使詞和詞的關係分明起見，使用句讀符號也不可忽略。近來都用新式標點，理由也就爲了舊式句讀符號不能充分表明詞和詞的各種關係的緣故。

（三）應分淸賓主　以上各項都無可議了，要求說話文章明確，最後還當分淸賓主，使說話文章的着重處，一目便可了然。例如：

王冕又在楚辭圖上看見畫的屈原衣冠，他便自造一頂極高的帽子，一件極闊的衣服。遇着花明柳媚的時節，把一乘牛車載了母親，他便戴了高帽，穿了闊衣，執着鞭子，口裏唱着歌曲，在鄉村鎮上以及湖邊，到處頑耍。惹得鄉下孩子們三五成羣跟着他笑，他也不放在意下。（儒林外史第一回）

這段文中第二句裏的『他便』兩字，照文法論，原也可以放在『把』字之前。但若這樣，那第二句便歸重在『把一乘牛車載了母親』一截，結果就同前一句裏的高帽闊衣不相連貫，和第二句裏的『跟着他笑』也不連貫。我們看了很容易設想那些鄉下的孩子們笑的竟是他用牛車載母親的一件事，眞意就隱晦了。所以此句布置，必須如此纔好。又如：

趕緊到脊梁上來罷。你一面歇歇力，我就送你到岸邊去。

這里的第二句，也非這樣側重『送你到岸邊去』，便與上文不貫。凡是此等地方，都該細心斟酌，分錯了賓主固然誤事；即不把賓主分明地顯現出來，也不能使說話文章的關係分明，意思了然。

在我國的論文書中曾經有過好多則關於黃犬奔馬句法的工拙論。第一個在書上談起的似乎是沈括（存中）。沈括的夢溪筆談（十四）說：

往歲文人多尙對偶爲文，穆修張景輩始爲平文，當時謂之古文。穆張嘗同造朝，待旦於東華門外。方論文次，適見有奔馬踐死一犬，二人各記其事以較工拙。穆修曰，『馬逸，有黃犬遇蹄而斃』。張景曰，『有犬死奔馬之下』。時文體新變，二人之語皆拙澀，當時已謂之工，傳之至今。

看了這條，可知黃犬奔馬句法是當時流傳的名句；沈括是因爲聽了不服纔記下來的。而陳善卻就以爲沈括的句法好過他們。在他所著的捫蝨新話（五）中說：

> 文字意同而立語自有工拙。沈存中記穆修、張景二人同造朝。方論文次，適有奔馬踐死一犬，遂相與各記其事，以較工拙。穆修曰，『馬逸，有黃犬遇蹄而斃』。張景曰，『有犬死奔馬之下』。今較此二語，張當爲優。然存中但云『適有奔馬踐死一犬』，則又渾成矣。

其實張語並不見得優，沈語也不見得怎樣渾成。只因張着眼在犬，沈着眼在馬，各爲一句，穆着眼在犬馬兩物，就此記以兩句罷了。而唐宋八家叢話記載同樣的黃犬故事，又說：

> 歐陽公在翰林日，與同院出遊，有奔馬斃犬於道，公曰，『試書其事』。同院曰，『有犬臥通衢，逸馬蹄而死之』。公曰，『使子修史，萬卷未已也』。曰，『內翰以爲何如？』曰，『逸馬殺犬於道』。

於是一個死犬故事，就有六種句法：

1. 有奔馬踐死一犬。
2. 馬逸，有黃犬遇蹄而斃。
3. 有犬死奔馬之下。
4. 有奔馬斃犬於道。
5. 有犬臥通衢，逸馬蹄而死之。
6. 逸馬殺犬於道。

依我看來，這都由於意思有輕重，文辭有賓主之分，所以各人的意見不能齊一；而前人卻都沿了存中的觀點，以爲是什麼工拙之別，紛紛在抽象地發揮所謂工拙論，所以終於不得要領。——總而言之，有賓主可分時，賓主是須分淸的，但分淸賓主必須按照具體的情況，由寫說者隨着意思的輕重，而使言辭有賓主之分，並非像死犬句法論者模樣，憑空抽象地討論所能判定工拙優劣的。

關於明確，大約如此，往下請論通順。

三　倫次通順

通順是關於語言倫次上的事。語無倫次，固然不成其爲語，便有倫次，而不免紊亂、脫節、齟齬，也終不是語言的常態。所以尋常修辭，都不可不依順序，不可不相銜接，並且不可沒有照應。能夠依順序，相銜接，有照應的，就稱爲通順。

順序有關於語言習慣的，有關於上下文的情形的。如中國以『喝茶』爲順，『茶喝』爲倒，日本以『茶喝』爲順，『喝茶』爲倒，便是前者的例；如某氏的文章學綱要開頭一段說：

詩曰，『他山之石，可以攻玉』。中國從來獨創文化，第知則古稱先，以往古爲他山之石。今也不然，五洲棣通，不獨可橫而溝通中外，幷可縱而貫穿古今焉。英語之流佗列克，源於希臘之流阿，本流水之義，以人類談話，亦從思想流出，遂聯想而轉成此語。

其中『不獨可橫而溝通中外，幷可縱而貫穿古今』一語，被覺悟指爲顚倒着的，便是後者的例。照理，上文說古今，下文說中外，中間一句當然該作『不獨可縱而貫穿古今，幷可橫而溝通中外』；且必如此纔與本句前半截『今也不然，五洲棣通』八字順連。原文疏忽，未曾顧及上下文，所以便不通順了。

所謂顧及上下文，便是上文所謂相銜接，普通也稱相貫串。清代唐彪讀書作文譜（五）曾經說：

文章不貫串之弊有二：如一篇中有數句先後倒置，或數句辭意少礙，理卽不貫矣。承接處字句或虛實失宜，或反正不合，氣卽不貫矣。二者之弊，雖名文亦多有之。讀文者不當以名人之文，恕於審察；必細心研究，辨析其毫釐之差。

上擧『不獨』一語便是『先後倒置』的一例。

其次又要有照應。照應的事，無論在材料的取捨上，語言的表出間，都頗重要。單就語言一面而論，如：

沽酒市脯不食。（論語鄉黨）

大夫不得造車馬。（禮記玉藻）

潤之以風雨。（易繫辭）

猩猩能言，不離禽獸。（禮記曲禮）

等例中，造字對於馬，潤字對於風等便都欠照應。誰曾見馬可造，風會潤的呢？所以宋代陳騤稱它爲『病辭』（見文則上），俞樾也稱它爲『疏略』（見古書疑義擧例二）。再如：

伯樂一過冀北之野而馬羣遂空。夫冀北馬多天下，伯樂雖善知馬，安能空其羣耶？解之者曰，吾所謂空，非無馬也，無良馬也。（韓愈送溫處士赴河陽軍序）

以及：

這里雨村且翻弄詩籍解悶。忽聽得窗外有女子嗽聲，雨村遂起身往外一看，原來是一個丫鬟在那里掐花兒。……雨村不覺看得呆了。那甄家丫鬟掐了花兒，方欲走時，猛擡頭見窗內有人，敝巾舊服，雖是貧窘，然生得腰圓背厚，面闊口方，更兼劍眉星眼，直鼻方腮。這丫鬟忙轉身迴避。（紅樓夢第一回）

也是同樣的可議。韓文一例，正如金王若虛在滹南遺老集（三十五）所說『此一吾字害事；夫言羣空及解之者自是兩人，而云吾所謂，卻是言之者自解也。……』所用的『解之者』三字與『吾』字自然未免與上文不照應。至如紅樓夢一例，甄家丫鬟不但『忙轉身』便能看淸雨村的又是敝巾舊服，又是面闊口方，又是劍眉星眼，又是直鼻方腮，並且在看呆了的雨村的對面也能看見雨村的『背厚』，這就更加離奇了。雖然人有活潑自由不拘小節的人，話也可以有超然脫略，富於『入不言，出不辭』的風趣的話。但這大抵在聯絡照應之外，行其活潑不拘，且也不宜過於突兀。至於照應、關聯、統一卻就是整個制作所以爲整個制作的基本，闕欠了它，是要陷於支離險怪的。三俠五義第二十一回開頭，有『忽聽得寒光一縷』一語。寒光可聽，或許可以插加新解，然而總之已涉險怪，不是側重理解的文字所宜用。

四　詞句平勻

在內容方面能如上述具備明確和通順兩個條件，對於記述大體已算稱職了，但還難保便是一篇平穩無議的達意語辭。要求平穩無議，大約還須在明確通順以外或以上，另從語言方面注意以下幾件事。

第一選詞造句，究竟用古的今的，中的外的，文的白的，官的土的，粗的細的，生的熟的，難的易的，繁的簡的，須有一個平正的標準。關於標準，普通說的有純正、雅潔等條項，現在可采取的是平勻。因爲平易而沒有怪詞僻句，勻稱而沒有夾雜或駁雜的弊病，讀聽者便不致多分心到形式，可以把整個心意聚注在內容上面。消極的達意的選造詞句，最好拿它做標準。

宋惠洪冷齋夜話（一）載『白樂天每作詩，令一老嫗解之。問曰解否？嫗曰，解，則錄之；不解則易之』，不知白氏究竟如何；倘眞常行此事，可說崇尙平易極了。同偏愛僻澀，被歐陽修嘲爲用『宵寐匪禎，札闥洪庥』等僻字撰史的宋子京，簡直是南北極。但要一一依着老女的聲口來校改自己的詞句，也不是人人耐煩做的事。尋常實行的，大抵不是校對任何具體的語言，而是憑據下列公式的三條件：

第一，以地境論，是本境的；

第二，以時代論，是現代的；

第三，以性質論，是普通的。

超出本境的是非讀者聽者的國語及方言。將來世界語言或有統一的一日，那時所謂本境便是全球，球語之外或許更無所謂國語；抑或限於鄉土，像駱賓王或者我，對於自己的父母弟妹說的，自然都是些『大』『小』有語尾變化的義烏話，方言之外也竟更無親切慣熟的語言。像這情形，球語方言便是本境的了，當然人人都歡喜用。但是現在，闊還不及世界一統，狹也不能專對故鄉人說話，所謂本境也者，暫時自然應以同文的區域爲界。把這區域以外以內的外國語作外國語用，方言作方言用，固然有時也是必需而且有趣；但因爲它不能使多數人聲入心通，決不宜用作經常的工具。例如兒女英雄傳裏安老爺在上房見程師爺時：

安老爺合他彼此作過揖，便說道，『驥兒承老夫子的春風化雨，遂令小子成名，不惟身受者頂感終身，卽愚夫婦也銘佩無旣』。只聽他打着一口的常州鄉談道，『底樣臥，底樣臥；底樣臥！』（第三十七回）

程師爺的這『底樣臥，底樣臥』，當時除了安老爺以外，滿屋裏就沒有第二人能夠懂得就是等於『甚麼話，甚麼話』的一句謙遜話。日本仁齋漢文寫的語孟字義裏的

儉而好施者，爲誠大德之人。（第三十三章）

這句裏頭的『爲誠』雖然可懂，又要能夠像徂徠那樣知道所謂『爲誠』就是『誠爲』纔能通曉，這都是不用讀者聽者本境語言所生的阻梗，要求平易，先當留意。

單單注意地境還嫌不夠，其次還當采用現代的。語言也如其他的一切，不無新陳代謝，雖然有的依舊留存在現在的語言之中，有的實已淘汰成爲古語、死語、廢語，或者貌似神異，早已改變了古有的意思或情趣。例如『共和』一詞，雖然大衆共知，但周代『共和』的意趣已不全含在如今的『共和』之中；而『則個』『恁地』等等，便連語言也已經死了廢了。死廢的東西，在別一方面也許另有一種價値，例如幾千年前的骸骨，倘若至今尙存也就異常可貴。但若迷戀這考古學上的骸骨，以爲今人不如古骨，必欲擁骸骨以凌活物，卻就不免是特種的怯者。劉知幾的史通言語篇中說：

天地長久，風俗無恆，後之視今，亦猶今之視昔。而作者皆怯書今語，勇效昔言，不其惑乎？

顧亭林在日知錄（十九）論『文人求古之病』也說：

後周書柳虯傳：時人論文體有今古之異，虯以爲『時有今古，非文有今古』，此至當之論。夫今之不能爲二漢，猶二漢之不能爲尙書、左氏。乃勦取史漢中文法以爲古，甚者獵其一二字句，用之於文，殊爲不稱。

所謂『時有今古，非文有今古』，就是說古代的語言變成現代的語言，語言的不同，乃由於時代的不同，故若駭怪文變了，倒不如駭怪時變了。鏡花緣（二十三回）中那著名的淑士國酒保和儒者擬古的可笑，並不是偶然的。以後我們采用古語廢語，自當充分地審愼。采用新語、生語，也應如此。廢語已經不是現代的了，生語還未成爲現代的，兩者都不是現代的語言。

除了現代的和那本境的之外，還有一條應當留意的便是性質的普通。普通與否大抵與職業或團體有關係。社會上一種職業或一個團體之中往往有一些特殊的語言，如商販的市語，江湖的切口之類，爲一般社會或別一職業別一團體所不明瞭。倘若任意使用此種局中語，也便將與局外人有了語言的隔膜。所以普通的一條也當留意。明陶奭齡著小柴桑諵諵錄（上）中有這一節：

元末閩人林釴爲文好用奇字，然非素習，但臨文檢書換易，使人不能曉。稍久，人或問之，倂釴亦自不識也。昔有以意作草書，寫畢付姪謄錄，姪不能讀，指字請問，佇視良久，恚曰，何不早問？所謂熱寫冷不識，皆可笑。

這所謂以意作草書者，在宋惠洪的冷齋夜話（九）中指明說是張丞相。又前曾經提及的涵芬樓文談（五）載：

宋人宋子京……與歐陽文忠並修唐史，往往以僻字更易舊文。文忠病之，而不敢言，乃書『宵寐匪禎，札闥洪庥』八字以戲之。宋不知其戲己，因問此二語出何書，當作何解。歐言此卽公撰唐書法也：宵寐匪禎者，謂夜夢不祥也；札闥洪庥者，謂書門大吉也。宋不覺大笑。

這連成一片的自笑和他笑，也不是可以看作偶然而忽略過去的事（『書門大吉』，涵芬樓文談原作『闔宅安吉』，今依趙翼陔餘叢考卷二十二文章忌假借條校改）。

但文章的傳達情思究竟以密切實際爲第一要義。譬如走路，上文說的不過是平時平穩地走法；遇到非常，自然跳越飛躍也是事所可有。尤其在文學變動的時候，傾向已經變了，應得從新估定的一切之中的語言，因爲傾向限制，自然也不能『取之無盡，用之不竭』，如果再憑着本境的、現代的、普通的三個條件去選，或許更難有適切的語言可以表達情思。遇着這等情形的時候，自當以自己達意爲急，使人了解從緩，或另外設法：應該毅然決然地使方言超昇，古語重生，外國語內附，且把生語充分地增製。先力求被選的詞彙豐富，暫將選的標準換作自由。這時的選詞造句，大抵只求態度和文格的條貫，就是標題上所謂『匀』。平是經常的，匀是最後的。我們應該最後不忘經常，處處都以平易爲主。

五　安排穩密

除了上述詞句的平匀，第二就應注意詞句的安排，是否契合內容的需要。詞句對於內容的需要，至少要有切境切機的穩和不盈不縮的密。

穩不是說與世間相妥協，只是與內容相貼切。而寫說者的目的何在，內容的情狀如何，便是決定所用詞句是否貼切的最重要的關鍵。譬如目的，作者初執筆時，便該自審，在乎敎誨，還是在乎誘導。想要辯正是非，還是想要敍述事實。此等目的不同，所有詞句上的安排，也便應得隨着而有變動。倘然隨筆所至，意在誘導的却用了些嘲刺語，意在敍述的却用了些敎誨語，或者此外有了種種與內容需要不相符合的表達，這就使人不能理解作者的態度究竟怎樣，同時也不能理解寫說者的本意到底何在。如此的寫說，縱在別一意義上還可算是好說話好文章，然而總已埋沒了寫說者當時的意思，因而在當時的思想上總之是已經失敗了。

其次內容的情狀更與詞句的貼切有關係。往往同一的詞句，在這里價值少，在那里價值多，在別一處不但全無價值而且要有牽累。文則曾引『饜子在頰則好，在顙則醜』的古話，來說詞句各有所宜，不便任意摘抄，所見極是。例如『撫卹』兩字何嘗不是平易可用；但用在紅樓夢四十五回開頭『話說鳳姐正在撫卹平兒，忽見衆人進來』一句裏面，便覺得有些不穩，不如有正版本，刊作『安慰』。而在別處，『安慰』或又不如『撫卹』，自然各隨情狀而定。

文要切合情狀，頗須辨別意義彷彿的語言。那些意義彷彿可以稱爲類語的語言，瞥眼雖然相類，細辨也許仍有應辨的差異。或有廣狹的不同，就如『溪』與『河』；或有強弱的不同，就如『失望』與『絕望』；或有公私上下的不同，就如『告示』與『告白』；或者含有主客施受的不同，例如『望』與『見』，『聽』與『聞』等。甚或一切都相同，單因地域有別，時代有別，卻也不能混用。如東京有巡查，杭州南京有警察，這是地的關係；四十餘年前有國際聯盟，今有聯合國大會這是時的關係。

文要切合情狀，也須能夠應合當時的急需。就像紅樓夢第十九回的這一段：

襲人一面說，一面將自己的坐褥拿了來，鋪在一個杌子上，扶着寶玉坐下，又用自己的脚爐墊了脚；向荷包內取出兩個梅花香餅兒來，又將自己的手爐掀開烘上，仍蓋好，放在寶玉懷中；然後將自己的茶杯斟了茶，送與寶玉。

文中連用了四個『自己的』，看去似乎煩贅，其實正該如此，纔可寫出作者在本段裏所要竭力描寫的寶襲兩人的親暱光景來。所以雖然重複，倒是極應急需，與所述的內容貼切。

但若無如此急需而有煩贅或疏缺的詞句時，這可便是穩的反面，同時又是密的反面，卻當竭力戒避。例如：

從人看此光景，必是鬧出來了，一壁也就隨着跟來（三俠五義第十回）

『隨着跟來』就像煩贅。又如：

王使屈平爲令……每一令出，平伐其功曰，以爲非我莫能爲也。王怒而疏屈平。（史記屈原傳）

王若虛滹南遺老集（三十七）便說『曰字與以爲意重複』。又如：

臺，吾望以拂雲之亭；池，吾俯以澄虛之閣；水，吾泛以畫舫之舟。（歐陽修眞州東園記）

邵博聞見後錄（十六）便說『曾南豐讀歐陽公晝錦堂記來治於相，眞州東園記泛以畫舫之舟二語，皆以爲病』。又如：

雖無絲竹管絃之盛，一觴一詠亦足以暢敘幽情。（王羲之蘭亭集序）

周煇清波雜誌（五）說『蘭亭序絲竹管絃或病其說，而歐陽公眞州東園記泛以畫舫之舟，南豐曾子固亦以爲疑』。再如漢書張蒼傳：

蒼兔相後，年老口中無齒，食乳。

劉知幾史通敍事篇也說『蓋於此句之內去年及口中可矣。夫此六字成文而三字妄加，此爲煩字也』，就是說它太煩贅了。

反之，如史記樗里子傳『……母韓女也。樗里子滑稽多智……。』蘇轍古史刪了『樗里子』三字，作『母，韓女也，滑稽多智。』黃震黃氏日鈔（五十一）就說『似以母爲滑稽矣，然則樗里子之文其可省乎？』又如史記甘茂傳『甘茂者下蔡人也，事下蔡史舉，學百家之說。』蘇轍古史去了一個『事』字，作『下蔡史舉學百家之說』。於是黃震黃氏日鈔（同卷）又說『似史舉自學百家矣，然則事之一字其可省乎？』再如柳宗元段太尉逸事狀：『晞一營大譟盡甲。…太尉…解佩刀，選老躄者一人持馬，至晞門下。甲者出，太尉笑且入。曰，「殺一老卒，何甲也？吾戴吾頭來矣。」』宋子京（祁）在新唐書中只作『吾戴頭來矣』。邵博聞見後錄卷十四評云，『去一吾字，便不成語；吾戴頭來者，果何人之頭耶？』這又就是說它太疏缺了。

詞句的是否契合內容需要，原是一件必須審察卻又難以詳細分析列舉的事。不過我們知道，不密大抵由於用語數量的太多或太少，不穩大抵由於語言性質的不切境對機，追尋病源，並不煩難罷了。

第五篇　積極修辭一

一　積極修辭綱領

積極的修辭和消極的修辭不同。消極的修辭只在使人『理會』。使人理會只須將意思的輪廓，平實裝成語言的定形，便可了事。積極的修辭，卻要使人『感受』。使人感受，卻不是這樣便可了事，必須使看讀者經過了語言文字而有種種的感觸。語言文字的固有意義，原是概念的、抽象的，倘若只要傳達概念的抽象的意義，此外全任情境來補襯，那大抵只要平實地運用它就是，偶然有概念上不大明白分明的，也只要消極地加以限定或說明，便可以奏效。故那努力，完全是消極的。只是零度對於零度以下的努力。而要使人感受，卻必須積極地利用中介上一切所有的感性因素，如語言的聲音，語言的形體等等，同時又使語言的意義，帶有體驗性具體性。每個說及的事物，都像寫說者經歷過似地，帶有寫說者的體驗性，而能在看讀者的心裏喚起了一定的具體的影像。

這種積極的手法，也如消極的手法一樣，可以分做內容和形式兩方面。內容方面大體都是基於經驗的融合。對於題旨、情境、遺產等等爲綜合的運用。就中尤以情境的適應爲主要條項。所以頗有人以所謂聯想做這方面的各樣手法分類的根據。形式方面，大體是我們對於語言文字的一切感性的因素的利用，簡單說，就是語感的利用。前面已經說過積極修辭可以分爲辭格和辭趣兩類。辭格便是兩方面綜合的利用，辭趣便是形式一方面單獨的利用。

二　辭格

如今先說辭格。辭格以前頗有種種的分類。或分爲思想上的辭格，語言上的辭格等兩種，把設問、感歎、呼告等歸入前種，層遞、省略、對偶等歸入後種。或分爲文法上的辭格，修辭上的辭格等兩種，把飛白、複疊、節縮等歸入前種，譬喻、借代、設問等歸入後種。或分爲類似、關連、反對等三種，而以所屬不明的列入『雜』類。又或分爲譬喻、化成、布置、表出等四種。分類之多，簡直難以列舉。

本書的分類，大體依據構造，間或依據作用。和先前所有的分類，都不盡同。因爲我相信這樣分時，說明比較便利。這種分類，或許也有不大自然的地方，但實際，經過十幾次的修改。對於名稱，也很愼重，大抵都曾經過仔細的考量，又曾經過精密的調查，凡是中國原來有名稱可用的都用原來的名稱，不另立新名。今請列舉本書所要分講的辭格於下：

（甲類）材料上的辭格：

一、譬喻　二、借代　三、映襯
四、摹狀　五、雙關　六、引用
七、仿擬　八、拈連　九、移就

（乙類）意境上的辭格：

一、比擬　二、諷喻　三、示現

四、呼告　五、鋪張　六、倒反

七、婉曲　八、諱飾　九、設問

一〇、感歎

（丙類）詞語上的辭格：

一、析字　二、藏詞　三、飛白

四、鑲嵌　五、複疊　六、節縮

七、省略　八、警策　九、折繞

一〇、轉品　一一、回文

（丁類）章句上的辭格：

一、反復　二、對偶　三、排比

四、層遞　五、錯綜　六、頂眞

七、倒裝　八、跳脫

總計三十八格。各格之中又有若干式。別人說的一格，往往只當本書的一式。若把各式盡作一格算，總計當有六七十格。我們應當知道的辭格已經包括無餘了。以下請就各格順序細細地分說。

甲類　材料上的辭格

三　譬喻

思想的對象同另外的事物有了類似點，文章上就用那另外的事物來比擬這思想的對象的，名叫譬喻。這格的成立，實際上共有思想的對象、另外的事物和類似點等三個要素，因此文章上也就有正文、譬喻和譬喻語詞等三個成分。憑着這三個成分的異同及隱現，譬喻辭格可以分為明喻、隱喻、借喻三類如下表：

辭格	句式	正文	譬喻語詞	譬喻
明喻	詳式	現	「好像」「似」「如」之類	現
	略式	現	（隱）用平行句法代替	現
隱喻	詳式	現	「是」「也」之類	現
	略式	現	（隱）	現
借喻		（隱）	（隱）	現

一、明喻——是分明用另外事物來比擬文中事物的譬喻。正文和譬喻兩個成分不但分明並揭，而且分明有別；在這兩個成分之間，常有「好像」「如同」「彷彿」「一樣」或「猶」「若」「如」

『似』之類的譬喻語詞綰合它們。例如：

（一）我的佳偶在女子中，好像百合花在荊棘內。（舊約雅歌）

（二）手如柔荑，膚如凝脂，領如蝤蠐，齒如瓠犀，螓首蛾眉，巧笑倩兮，美目盼兮。

（詩經衞風碩人）

（三）君子之交淡若水，小人之交甘若醴。（莊子山木篇）

（四）僑聞學而後入政，未聞以政學者也。……譬如田獵，射御貫則能獲禽；若未嘗登車射御，則敗覆是懼，何暇思獲？（左傳襄公三十一年）

（五）人之有學也，猶木之有枝葉也。木有枝葉猶庇蔭人，而況君子之學乎？（晉語九）

這類的譬喻，往往用較熟悉較具體的事物作比，使人對於正文格外看得眞切。如：

（六）王小玉……唱了幾句書兒，聲音初不甚大，……唱了十數句之後，漸漸地越唱越高；忽然拔了一個尖兒，像一線鋼絲拋入空際，不禁暗暗叫絕。哪知他於那極高的地方，尚能迴環轉折；幾囀之後，又高一層，接連有三四疊，節節高起。恍如由傲來峯西面攀登泰山的景象：初看傲來峯削壁千仞，以爲上與天齊；及至翻到傲來峯，纔見扇子崖更在傲來峯上；及至翻到扇子崖，又見南天門更在扇子崖上，愈翻愈險，愈險愈奇。那王小玉唱到極高的三四疊後，陡然一落，又極力騁其千迴百折的精神，如一條飛蛇在黃山三十六峯半中腰裏盤旋穿插，頃刻之間周匝數遍。

（老殘遊記第二回）

（七）有人的性情，例如我自己的，如以氣候作喻，不但是陰晴相間，而且常有狂風暴雨，也有

最豔麗蓬勃的春光。（徐志摩曼殊斐兒）

又往往就用眼前的事物作比，使眼前的兩件事物格外密切。如：

（八）他說：人聚就有散，聚時歡喜，到散時豈不冷清？既冷清，則生感傷，所以不如倒是不聚的好。比如那花開時令人愛慕，謝時則增惆悵，所以倒是不開的好。（石頭記）

（九）糠和米本是相依倚，卻遭簸揚作兩處飛，一賤與一貴，好似奴家與夫壻，終無見期。丈夫便是米呵，米在他鄉沒處尋。奴家便是糠呵，怎地把糠來救得人飢餒？好似兒夫出去，怎地教奴供養得公婆甘旨！

思量我生無益，死又值甚的，倒不如忍飢死了爲怨鬼！只是公婆老年紀，靠奴家共依倚，只得苟活片時！片時苟活雖容易，到底日久也難相聚！漫把糠來比，這糠尙有人喫，奴的骨頭知他埋在何處！（琵琶記喫糠）

要用譬喻，約有兩個重要點必須留神：第一，譬喻和被譬喻的兩個事物必須有一點極相類似；第二，譬喻和被譬喻的兩個事物必須本質上極其不同。倘缺第一個要點，譬喻當然不能成立；若缺第二個要點，修辭學上也不能稱爲譬喻。例如：

（十）上排牙齒如同下排牙齒。

（十一）火車的汽笛如同輪船汽笛一般發響了。

這樣單單舉了相同的事物與正文排疊的，雖然也有類似點，也有『如同』一類的綰合詞，決不能算是明喻。又如：

（十二）他這個人很固執，很難接受別人的意見，譬如你說地球是圓的，他一定說是方的；你說地球繞着太陽轉，他一定說是太陽繞着地球轉；你說他錯了，他說他是對的，反認爲你是錯的。實在拿他沒有辦法。

這樣單單舉出正文中特殊事物來做例證的，雖然也與正文有類似點，有『譬如』之類的綰合詞，也只是例證，不是明喻。

明喻通常都如上文所舉各例，在白話裏常有『如同』『好像』等詞，在文言裏常有『猶』『若』『如』『似』等詞標明。這是詳式。至於略式，大抵省去這等語詞，把正文與譬喻配成對偶、排比等平行句法。如：

（十三）富潤屋，德潤身。（大學）

（十四）流丸止于甌臾，流言止于智者。（荀子大略）

（十五）狡兔死，走狗烹；高鳥盡，良弓藏；敵國破，謀臣亡。（史記淮陰侯傳）

（十六）離婁之明，公輸子之巧，不以規矩不能成方圓；師曠之聰，不以六律不能正五音；堯舜之道，不以仁政，不能平治天下。（孟子離婁上——以上譬喻在前）

（十七）人道敏政，地道敏樹。（中庸）

（十八）養兒防老，積穀防饑。（諺語——以上譬喻在後）

備覽——『明喻』這名，係沿用清人唐彪所定的舊名（見讀書作文譜八）。唐彪以前，曾有宋人陳騤稱它爲『直喻』。文則卷上丙節條舉十種『取喻之法』說：

一曰直喻。或言『猶』，或言『若』，或言『如』，或言『似』，灼然可見。孟子【梁惠王】曰，『猶緣木而求魚也』，書【五子之歌】曰，『若朽索之馭六馬』，論語【爲政】曰，『譬如北辰』，莊子【大宗師】曰，『凄然似秋』。此類是也。

日本人所著的修辭書中，歷來都是根據這一條，把我們所謂明喻叫做直喻，近來中國也有人用這個名稱，但我以爲還不如明喻這一個名稱顯明。

二、隱喻——隱喻是比明喻更進一層的譬喻。正文和譬喻的關係，比之明喻更爲緊切；如用風喻君子之德，用草喻小人之德，在明喻應用『君子之德如風，小人之德如草』一類形式的，在隱喻卻用下列兩項形式：

（十九）君子之德，風也，小人之德，草也；草上之風必偃。（詳式——孟子滕文公上）

（二十）君子之德，風，小人之德，草，草上之風必偃。（略式——論語顏淵）

我們就此可以知道上列兩類譬喻，表明正文和譬喻關係的形式，顯然有點不同：明喻的形式是『甲如同乙』，隱喻的形式是『甲就是乙』；明喻在形式上只是相類的關係，隱喻在形式上卻是相合的關係。這種形式關係的不同，再看下舉幾例，更可了然：

（二十一）說他性狡猾，擅改禮儀，外沽淸正之名，暗結虎狼之勢，使地方多事，民命不堪等語。龍顏大怒，卽批革職，部文一到，本府各官，無不喜悅。（石頭記第二回）

（二十二）諸葛瑾，弟亮，及從弟誕，並有盛名，各在一國，於時以爲蜀得其龍，吳得其虎，魏得其狗。誕在魏，與夏侯玄齊名，瑾在吳，吳朝服其弘量。

（二十三）嗟怨之水，特結憤泉。感哀之雲，偏含愁氣。（庾信擬連珠）

（二十四）怕聽陽關第四聲，回首家山千萬程，博着個甚功名，教俺做浮萍浪梗。（喬孟符揚州夢雜劇）

（二十五）舊恨春江流不盡，新恨雲山千疊。（辛棄疾念奴嬌詞）

（二十六）趙衰，冬日之日也，趙盾，夏日之日也。（左傳文公七年）

（二十七）楊布問曰：『有人於此：年，兄弟也；言，兄弟也；才，兄弟也，貌，兄弟也，而壽夭，父子也；貴賤，父子也；名譽，父子也；愛憎，父子也；吾惑之。』（列子力命篇）

備覽——陳騤在文則卷上丙節裏也曾說到隱喻。但他所謂隱喻，適當我們下文說的借喻，同此刻說的隱喻不同。

三、借喻——比隱喻更進一層的，便是借喻。借喻之中，正文和譬喻的關係更其密切；這就全然不寫正文，便把譬喻來作正文的代表了。如：

（二十八）以萬乘之國，伐萬乘之國，簞食壺漿，以迎王師，豈有他哉，避水火也。

（孟子梁惠王上）

（二十九）繰成白雪桑重綠，割盡黃雲稻正青。（王安石木末詩；白雪喻絲，黃雲喻麥。）

（三十）伯夷叔齊雖賢，得夫子而名益彰；顏淵雖篤學，附驥尾而行益顯。

（史記伯夷叔齊列傳）

（三十一）博陵崔師立種學績文，以蓄其有。（韓愈藍田縣丞廳壁記）

（三十二）歲寒，然後知松柏之後凋也。（論語子罕篇，借喩人在濁世纔見得君子守正。）、借喩如上所引，有只用一二個詞的，有用全句全段的；那用全句全段的，就是世俗所謂『借題發揮』。用這類借喩有兩件事應該獨特留神：第一件事，應該避去同一事物在同一文中混用兩個以上的譬喩。如說：

太空時代的潮流，已在呼喚我們了。

這樣把『潮流』『呼喚』兩個借喩糅雜在一處，固然不很好；就使不是這樣混用兩個借喩，單把一個借喩和一個平語來混用也是不大相宜。如說：

嫘祖是蠶絲的始祖，也是文明人的愛人。

這樣將一個借喩的『始祖』和一個平語的『愛人』混合起來用，也便覺得有點不倫不類。第二件事，應該避去容易引起誤解的借喩。據新約，耶穌曾經用過這一種的借喩，現在就引了他的一段故事，來顯示用這借喩的無益有損：

門徒渡到那邊去忘了帶餅。耶穌對他們說，你們要謹慎，防備法利賽人和撒都該人的酵。門徒彼此議論說，這是因爲我們沒有帶餅罷。耶穌看出來，就說，你們這小信的人，爲什麼因爲沒有餅彼此議論呢？你們還不明白麼？……我對你們說的話，不是指着餅說的，你們怎麼不明白呢？你們卻要防備法利賽人和撒都該人的酵。門徒這纔明白他說的，不是叫他們防備餅的酵，乃是防備法利賽人和撒都該人的教訓。（馬太傳第十六章）

備覽——『借喩』這名，係沿用元人范德機的定名（見木天禁語借喩條）。此外所有的名稱，如『隱語』（見元人陳繹曾所著文說論『造語法』條），如『譬況』（見明人楊慎所著丹鉛總錄卷十三訂訛類譬況條，又卷十八詩話類雙鯉條），如『暗比』（見清人唐彪所著讀書作文譜卷八暗比條）等，或太浮泛，或與別的譬喻名稱不很連貫，都覺得不大適用。

以上三級的譬喻，從譬喻所以成立的根本上看來，原本沒有什麽區別，可是：（一）越進了一級，形式就越簡短起來；（二）越進了一級，用做譬喻的客體就越昇到了主位。從形式上和內容上看來，都有不同的地方，因此它們實際的用處也就不免有些差別。大概感情激昂時，譬喻總是採用形式簡短的譬喻；譬喻這一面的觀念高強時，譬喻總是採用譬喻越占主位的隱喻或借喻。

四　借代

所說事物縱與其他事物沒有類似點，假使中間還有不可分離的關係時，作者也可借那關係事物的名稱，來代替所說的事物。如此借代的，名叫借代辭。一切的借代辭，得隨所借事物和所說事物的關係，大別爲兩類。一爲旁借，二是對代。

第一，旁借——的關係，是隨伴事物和主幹事物的關係。在原則上是，用隨伴事物代替主幹事物，用主幹事物代替隨伴事物，都沒有什麽不可以。不過事實上是多用隨伴事物代替主幹事物；用主幹事物代替隨伴事物的，雖不是完全沒有，卻是不大有的，名爲旁借，便是爲此。旁借的方式，約有四組：

（1）事物和事物的特徵或標記相代

（一）我拿了新聞看。長腿裝着無聊的臉，坐在安樂椅子上。（現代日本小說集，沈默之塔；

長腿指有長腿特徵的人，借特徵代人。）

（二）馬氏五常，白眉最良。（三國志蜀書馬良傳說：『馬良字季常，……兄弟五人，並有才名。鄉里爲之諺曰：「馬氏五常，白眉最良。」良眉中有白毛，故以稱之。』也借特徵代人。）

（三）歸來且看一宿覺，未暇遠尋三朵花。（蘇軾三朵花詩。序說：『房州……有異人，常戴三朵花，莫知其姓名，郡人因以三朵花名之』。也借特徵代人。）

（四）紈袴不餓死，儒冠多誤身。（杜甫贈韋左丞詩。紈袴是富貴子弟的標記，儒冠是文人學者的標記，詩中各借標記代人。）

（五）梧桐更兼細雨，到黃昏點點滴滴。這次第，怎一個愁字了得！（李清照聲聲慢詞，愁字代愁字所標記的情感，並非卽指愁字這字，也借標記相代。）

（六）我雖貧呵，樂有餘；便賤呵，非無憚：可難道脫不的二字飢寒。（鄭光祖王粲登樓雜劇第一折。『二字飢寒』也是借代飢寒二字所標記的生活狀況。）

（2）事物和事物的所在或所屬相代

（七）嚴致和又道，『卻是不可多心；將來要備祭桌，破費錢財，都是我這里備齊。』（儒林外史第五回。祭桌是祭品的所在，代祭品。）

（八）焦遂五斗方卓然，高談雄辯驚四筵。（杜甫飲中八仙歌。筵代筵上的人們。）

（九）嚴家家人掇了一個食盒來，又提了一瓶酒，桌上放下。揭開盒蓋，九個碟子，都是雞魚火腿之類。嚴貢生請二位先生上席，斟酒奉過來，說道，『本該請二位老先生降臨寒舍。一來，蝸居恐怕褻尊；二來，就要進衙門去，恐怕關防有礙：故此備個粗碟，就在此處談談，休嫌輕慢。』（儒林外史第四回。粗碟代碟裏的雞魚火腿之類。）

（十）余殷道，『彭老四點了主考了，聽見前日辭朝的時候，他一句話回的不好，朝廷把他身子拍了一下。』余大先生笑道，『他也沒有甚麼說的不好；就使說的不好，皇上離着他也遠，怎能自己拍他一下？』（儒林外史第四十五回。朝廷卽代下文所謂皇上。）

（十一）四海之內，皆舉首而望之。（孟子滕文公下。四海之內代四海之內的人。）

（十二）萬鍾則不辨禮義而受之；萬鍾於我何加焉？（孟子告子上。鍾代鍾裏所盛的粟。）

（十三）大江東去，浪淘盡千古風流人物。（蘇軾念奴嬌赤壁懷古詞。大江說大江裏的流水。）

（十四）張氏與衞公李靖將歸太原，行次靈石旅舍；既設牀，爐中烹肉，且熟。張氏以髮長委地，立梳牀前。公方刷馬。忽有一人，中形，赤髯如虬，乘蹇驢而來。投革囊於爐前，取枕欹臥，看張梳頭。公怒甚，未決，猶親刷馬。張熟視其面，一手映身搖示公，令勿怒。急急梳頭畢，斂袵前，問其姓。臥客答曰，『姓張』。……問第幾，曰，『第三』。……張氏遙呼『李郎』，且來見三兄。公驟拜之，遂環坐。曰，『煮者何肉？』曰，『羊肉，計已熟矣。』……曰，『有酒乎？』曰，『主人西則酒肆也』。（張說虬髯客傳。主人爲靈石旅舍所屬，這里就用『主人』代靈石旅舍。）

（3）事物和事物的作家或產地相代

（十五）人懷盈尺，和氏而無貴矣。（曹植與吳質書。）和氏爲持有其璧之人，此以物之所有人代替物。

（十六）熟讀王叔和，不如臨症多。（儒林外史第三十一回。王叔和曾採集衆論，著脈經、脈訣、脈賦，又編次張仲景傷寒論爲三十六卷；例中的王叔和是代王叔和編著的這些醫書。）

（十七）慨當以慷，憂思難忘。何以解憂，惟有杜康。（曹操短歌行。杜康人名，代酒。伊士珍瑯嬛記中卷說：『杜康造酒，因稱酒爲杜康。』）

（十八）常恐夜寒花索寞，錦茵銀燭按涼州。（陸游花時遍遊諸家園十首之八。洪邁容齋隨筆十四說：『今樂府所傳大曲，皆出於唐，而以州名者五：伊、涼、熙、石、渭是也。涼州今轉爲梁州，唐人已多誤用，其實從西涼府來也。凡此諸曲，唯伊、涼最著。』）

（十九）紅兒謾唱伊州遍，認取輕敲玉韻長。（羅虬比紅兒詩。說明見上。）

（二十）南山在其國(結匈)東南，自此山來，蟲爲蛇，蛇號爲魚。……比翼鳥在其東，其爲鳥青赤，兩鳥比翼。……羽民國在其東南，其爲人長頭，身生羽。（山海經，海外南經。用比翼鳥這產物代比翼鳥的產地。張華博物志卷三異鳥條下有云『比翼鳥一青一赤，在參嵎山』，這里用『比翼鳥』三個字差不多等於用『參嵎山』三個字。）

（二十一）又西曰仙弈之山。……其上有穴。……其山多櫰，多檽，多篔簹之竹，多槖吾。其鳥多秭歸。石魚之山全石，無大草木。山小而高，其形如立魚。在多秭歸西。有穴，類仙弈。（後面一個『多秭歸』係代仙弈山。）

以上諸例中用產物代產地的只有二十、二十一兩個例，用作物代作家的也極少見，這里不舉例。

（4）事物和事物的資料或工具相代

（二十二）狄人伐廧咎如，獲其二女叔隗季隗，納諸公子，公子取季隗，生伯儵叔劉。以叔隗妻趙衰，生盾。將適齊，謂季隗曰：待我二十五年，不來而後嫁。對曰：我二十五年矣，又如是而嫁，則就木焉。請待子。處狄十二年而行。（左傳僖公二十三年。以木代棺，木是棺之資料，以資料代事物。）

（二十三）嚴致和道，『老舅怕不說的是。只是我家嫂也是個糊塗人，幾個舍姪，就像生狼一般，一總不聽教訓；他們怎肯把這猪和借約拿出來？』王德道，『妹丈，這話也說不得了。假如令嫂令姪拗着，你認晦氣，再拿出幾兩銀子，折個猪價，給了王姓的；黃家的借約，我們中間人立個紙筆與他，說尋出作廢紙無用：這事纔得耳跟清淨。』（儒林外史第五回。紙筆代退據；紙是資料，筆是工具。）

（二十四）說來說去，說的老太轉了口，許給他二十兩銀子，自己去住。（儒林外史第二十七回。口代說話。）

（二十五）平生聞若人，筆墨極奇峭。相望二千里，安得接談笑？（陸游謝徐志父帳幹惠詩編詩。筆墨代詩文。）

（二十六）無絲竹之亂耳，無案牘之勞形。（劉禹錫陋室銘。絲竹代音樂。）

（二十七）田園寥落干戈後，骨肉流離道路中。（白居易望月有感。干戈代戰爭。）

（二十八）民有持刀劍者，使賣劍買牛，賣刀買犢；曰『何爲帶牛佩犢？』（前漢書循吏龔遂傳。牛代可以賣了買牛的劍，犢代可以賣了買犢的刀，都用資料名代本名。）

（二十九）陸生晝臥腹便便，歎息何時食萬錢。（陸游蔬園雜詠五首之五，詠芋。萬錢代用萬錢爲資料所換得的食品。）

第二，對代——這類借來代替本名的，盡是跟文中所說事物相對待的事物的名稱，也可以分作四組如下：

（1）部分和全體相代

（三十）你歷年賣詩賣畫，我也積聚下三五十兩銀子，柴米不愁沒有。（儒林外史第一回。柴米代日用的全體。）

（三十一）李紈道，『噯呀，這硬的是甚麼？』平兒道，『是鑰匙。』李紈道，『有甚麼要緊的東西怕人偷了去，卻帶在身上？我成日家和人說笑：有個唐僧取經，就有個白馬來馱着他；劉智遠打天下，就有個瓜精來送盔甲；有個鳳丫頭，就有個你。你就是你奶奶的一把總鑰匙，還要這鑰匙做甚麼？』（紅樓夢第三十九回。梁章鉅浪跡續談卷七說，『通行之語，……謂物爲東西。物產四方而約舉東西，猶史記四時而約言春秋耳』。也以部分代全體。）

（三十二）世道衰微，邪說暴行又作，臣弒其君者有之，子弒其父者有之，孔子懼，作春秋；春秋，天子之事也。（孟子離婁）

（三十三）過盡千帆皆不是，斜暉脈脈水悠悠。（溫庭筠望江南詞。帆代船的全體。）

（三十四）十目所視，十手所指。（大學。十目十手都說十人，也以部分的目手代全體的人。）

以上借部分代全體。

（三十五）荀子正論篇：「雍而徹乎五祀」，……劉氏臺拱曰：「……謂徹乎竈也，周禮膳夫職云：「王卒食以樂徹于造」。造竈古字通。大祝、六祈、二曰造。故書造作竈。專言之則爲竈，連類言之則曰五祀。若謂丞相爲三公，左馮翊爲三輔也。（俞樾古書疑義舉例）

（三十六）子無謂秦無人，吾謀適不用也。（左傳文公十三年，繞朝語；這人專指人中一部分的識者。）

以上借全體代部分。

備覽——俞樾在古書疑義舉例裏，曾經批評過從前注釋家對這一組對代的誤解。他說：『古人之文有舉大名以代小名者，後人讀之而不能解，每每失其義矣。儀禮既夕篇「乃行禱於五祀」。鄭注曰「盡孝子之情。五祀，博言之；士二祀，曰門，曰行。」推鄭君之意，蓋以所禱止門行二祀，而曰五祀者，博言之耳。五祀，其大名也。曰門曰行，其小名也。祀門行而曰五祀，是以大名代小名也。賈疏曰，「今禱五祀，是廣博言之，望助之者衆」，則誤以爲眞禱五祀矣。』他又說：『又有舉小名以代大名者。詩采葛篇「一日不見，如三秋兮」，三秋卽三歲也。歲有四時而獨言秋，是舉小名以代大名也。漢書東方朔傳「年十二學書，三冬文史足用」，三冬，亦卽三歲也。學書三歲而足用，故下云「十五學擊劍」也。注者不知其舉小名以代大名，乃泥冬爲說，云「貧子冬日乃得學書」，失其旨矣。』他的所謂『以大名代小名』，就是我們所謂用全體代部分；他的所謂『以小名代大名』，就是我們所謂用部分代全體。

（2）特定和普通相代

（三十七）三人請問房錢；僧官說，『這個何必計較。三位老爺來住，請也請不到。隨便見惠些須香資，僧人哪里好爭論？』（儒林外史第二十八回。不說銀錢而說香資，是以特定代普通。）

（三十八）孔子曰：『吾聞之，古也墓而不墳；今丘也東西南北之人也，不可以弗識也。』（禮記檀弓上。不說四方而說東西南北，也是以特定代普通。）

（三十九）在於王所者，長幼卑尊皆薛居州也，王誰與爲不善？在王所者，長幼卑尊皆非薛居州也，王誰與爲善？（孟子滕文公下。兩個薛居州都是代善士。）

（四十）因威公之問，舉天下之賢者以自代，則仲雖死，而齊國未爲無仲也，夫何患三子者？（蘇洵管仲論。第二個『仲』字代賢者。）

附記——以定數代不定數，也是以特定代普通的一格。清人汪中曾考明中國古書中，常用定數『三』代多於一二的不定數，又常用定數『九』代『三』還不能充分表明的極大的不定數。他著的述學一書中，有釋三九上一篇，專論這一格；他說的話還算精密，時常有人引用它，現在節錄於下，以便閱覽：『生人之措辭，凡一二之所不能盡者，則約之三以見其多；三之所不能盡者，則約之九以見其極多。此言語之虛數也。實數可稽也，虛數不可執也。何以知其然也？易【說卦】「近利市三倍」，詩【大雅瞻卬篇】「如賈三倍」，論語【微子】「焉往而不三黜」，春秋傳【定公十三年】「三折肱爲良醫」，（楚辭作九折肱）此不必限以三也。論語【公冶長】「季文子三思而後行」，【鄉黨】「雌雉……三嗅而作」，孟子【滕文公下】陳仲子食李三咽，此不可知其爲三也。論語【公冶長】子文三仕三已，史記，管仲三仕三見逐於君，三戰三走【管晏傳】，田忌三戰三勝【田完世家】，范蠡三致千金【貨殖傳】，此不必其果爲三也。故知三者虛數也。楚辭【離騷】「雖九死其猶未悔」，此不能有九也。詩【豳風東山篇】「九十其儀」，漢書【司馬遷傳】「若九牛亡一毛」，又「腸一日而九迴」，此不必限以九也。孫子【形篇】「善守者藏於九地之下，善攻者動於九天之上」，此不可以言九也。故知九者虛數也。推之十百千萬，固亦如是。』汪氏原文，漢書誤作史記，『九牛』下又多了一個『之』字。

（四十一）人叫他【胡七喇子】新娘，他就要罵，要人稱他『太太』。……後復嫁了王三胖，王三胖是一個候選州同，他眞是太太了。他做太太又做的過：把大獃的兒子媳婦，一天要罵三場，家人婆娘，兩天要打八頓。（儒林外史二十六回。一天三場，兩天八頓，都只是多的意思。）

（四十二）十目所視，十手所指。（大學）

（四十三）百世以俟聖人而不惑。（中庸）

（四十四）來往煙波，此生自號西湖長；輕風小槳，盪出蘆花港。得意高歌，夜靜聲偏朗。無人賞，自家拍掌，唱得千山響。（正呂點絳脣詞）

（四十五）游子悲故鄉，吾雖都關中，萬歲之後，吾魂魄猶樂思沛。（漢書高帝紀）

（四十六）有情潮落西陵浦，無情人向西陵去；去也不教知，怕人留戀伊。憶了千千萬，恨了千千萬，畢竟憶時多，恨時無奈何。（蕭淑蘭菩薩蠻詞。這五例中，十、百、千、萬、千千萬，也只是極多的意思。）

以上用特定代普通。

（四十七）到了除夕，嚴監生拜過了天地祖宗，收拾一席家宴，同趙氏對坐。喫了幾杯酒，嚴監生吊下淚來，指着一張櫥裏，向趙氏說道，『昨日典鋪內送來三百兩利銀，是你王家姐姐的私房。每年臘月二十七八日送來，我就交與他，我也不管他在哪里用。今年又送銀子來，可憐就沒人接了。』（儒林外史第五回。這『人』專指王氏。）

（四十八）彼此說着閒話，掌上燈燭，管家捧上酒、飯、雞、魚、鴨、肉，堆滿春臺。王舉人也不讓周進，自己坐着喫了，收下碗去。（儒林外史第二回。這『肉』單指猪肉。）

以上用普通代特定。

（3）具體和抽象相代——具體和抽象兩詞，歧義很多，這里說的具體概指事物的形體，抽象概指事物的性質、狀態、關係、作用等類而言：

（四十九）飲食男女，人之大欲存焉；死亡貧苦，人之大惡存焉。（禮記禮運篇。男女代男女的關係。）

（五十）渡頭餘落日，墟里上孤煙。（王維輞川閒居贈裴迪。落日指落日的殘光。）

（五十一）無窮江水與天接，不斷海風吹月來。（陸游泊公安縣詩。月代江中的月色流光。）

（五十二）平生最喜聽長笛，裂石穿雲何處吹。（陸游黃鶴樓詩。笛代笛聲。）

這都是用具體代抽象。

（五十三）凶年饑歲，子之民，老羸轉於溝壑，壯者散而之四方者，幾千人矣。（孟子公孫丑上。老羸代老年人、弱人，壯者代壯年有力之人。）

（五十四）天下有道，小德役大德，小賢役大賢。天下無道，小役大，弱役強。（孟子離婁上。小德大德，小賢大賢，盡代人；小大弱強，盡代國。）

（五十五）被堅執銳，義不如公。（史記項羽紀，宋義語；堅說鎧甲，銳說兵器。）

（五十六）死傷未收而棄之，不惠也；不待期而薄人於險，無勇也。（左傳文公十二年。死傷說死傷的人。）

（五十七）白鷗沒浩蕩，萬里誰能馴？（杜甫贈韋左丞詩；胡仔漁隱叢話前集卷三說：『浩蕩，謂煙波也。』）

（五十八）憶憐不能食，徘徊三路間，因風覓消息。（無名氏讀曲歌八十九首之二十二；憐代戀愛關係的對方。）

（五十九）昨夜雨疏風驟，濃睡不消殘酒。試問捲簾人，卻道海棠依舊。知否，知否？應是綠肥紅瘦。（李清照如夢令詞；綠代海棠葉，紅代海棠花。）

（六十）竚立多時，徘徊半晌，猛聽得塞雁南翔，呀呀的聲嘹喨，卻原來滿目牛羊，是兀那載離恨的氈車，半坡裏響。（馬致遠漢宮秋雜劇第三折。離恨代懷抱離恨的王昭君。）

這都是用抽象代具體。

（4）原因和結果相代

（六十一）故鄉吳江多好山，筍輿篾舫相窮年。（范成大題金牛洞詩；筍輿就是竹輿，用原因的『筍』代結果的『竹』。）

（六十二）漢皇重色思傾國，御宇多年求不得。（白居易長恨歌；『傾國』代『佳人』。漢李延年歌說：『北方有佳人，絕世而獨立。一顧傾人城，再顧傾人國。寧不知傾城與傾國，佳人難再得。』因此就算佳人是原因，傾國是結果。這里用結果代原因。）

（六十三）文公曰，『……矢石之難，汗馬之勞，此復受次賞。』（史記晉世家。汗馬代力戰，也是用結果代原因。）

關於這借代格，曾經有人揭舉過運用時種種必須注意處：如用特徵或標記代主體時，必須該特徵或標記眞眞足以代表該主體，所以用代舊女子的『脂粉』等字來代現在的女性就不可通；用資料或工具代主體時，也須那資料或工具是該主體的主要的資料或工具，所以從前用以代替音樂的『絲竹』等字，如果用在現在的西樂上也就不大合用，必須另行創造。諸如此類的繁瑣規例，我們倘能洞明上述此格構成的條理，就可觸類旁通，不必備舉。

五　映襯

這是揭出互相反對的事物來相映相襯的辭格。約分兩類：一是一件事物上兩種辭格兩個觀點的映襯，我們稱爲反映；二是一種辭格一個觀點上兩件事物的映襯，我們稱爲對襯。作用都在將相反的兩件事物彼此相形，使所說的一面分外鮮明，或所說的兩面交相映發。

（甲）反映

（一）寶玉說，『關了門罷』。襲人笑道，『怪不得人說你無事忙！這會子關了門，人倒疑惑起來，索性再等一等』。（紅樓夢第六十三回。『無事忙』原是寶釵譏誚寶玉的話，見同書第三十七回。）

（二）好聽明的糊塗法子，你們兩個之間還用得着這種過節麼？

以上兩例，都是關於一件事物的兩種辭格的映襯。它的前半截，都是本書中的別一種辭格。如『無事忙』的『無事』便是借代辭，『事』字的原意是『緊要的事』；『好聽明的糊塗法子』的『好聽明』便是倒反辭，正意是『好糊塗』。

（三）蕭金鉉道，『今日對名花，聚良朋，不可無詩，我們分韻何如？』杜愼卿道，『先生，這是而今詩社裏的故套：小弟看來，覺得雅的這樣俗，還是淸談爲妙。』（儒林外史第二十九回。）

（四）我們到那里出兵，只消幾天沒有水喫，便活活的要渴死了。（儒林外史第三十九回。）

（五）嘉會難再遇，三載爲千秋。臨河濯長纓，念子悵悠悠。（李陵與蘇武詩三首之二。）

（六）舉秀才，不知書；舉孝廉，父別居；寒素淸白濁如泥；高第良將怯如黽。（後漢書逸文；此據古詩源及古謠諺兩書錄引。與抱朴子外篇卷二審舉篇所引略有不同。審舉篇說：『靈獻之世，閹官用事，羣姦秉權，危害忠良。臺閣失選用於上，州郡輕貢舉於下。夫選用失於上，則牧守非其人矣；貢舉輕於下，則秀孝不得賢矣。故時人語曰云云，蓋疾之甚也。』）

以上四例，都是兩個觀點的映襯。也如上文兩例前半截是本文以外的辭格一樣，它的前半截是本文以外一個觀點上所得的結果。如『雅的這樣俗』一句中所謂『雅』便是『覺得俗』這個人以外人們的意見，『活活的要渴死』一句中所謂『活活的』便是『要渴死』以前的觀點所有的景象。

（乙）對襯

（七）喫素菜彼此相愛，強如喫肥牛彼此相恨。（舊約箴言十五章十七節）

（八）與其有譽於前，孰若無毀於後；與其有樂於身，孰若無憂於其心。（韓愈送李愿歸盤谷序）

（九）謀事在人，成事在天。（諺語）

（十）一將功成萬骨枯。（曹松己亥歲二首）

（十一）與其有譽於前，孰若無毀於其後；與其有樂於身，孰若無憂於其心。（韓愈送李愿歸盤谷序）

（十二）直如弦，死道邊，曲如鈎，反封侯。（順帝末童謠，見漢書五行志。）

（十三）只許州官放火，不許百姓點燈。（諺語；老學庵筆記卷五載『田登作郡，自諱其名，觸者必怒。……於是舉州皆謂燈爲火。上元放燈，許人入州治游觀；吏人遂書牓揭於市曰，「本州依例放火三日。」』所引諺語蓋本於此。）

以上各例，凡用同種記號標出的都是同一觀點上所得的事物本身的映襯。

對襯和對偶，頗有交錯的地方。如例九，便同時可以用做對偶的例。所以也有一些修辭學書將這兩種併成一種。但是兩者的要點，實不相同：對襯如前所說，在乎將相反的兩件事物互相對照，句法是否對偶在所不問；對偶在乎將相類的兩個句子互相對照，事物的相類相反在所不問。因此，對偶可說比較偏於形式一面，對襯比較着眼在內容一面，還是分作兩種，較便說明。

六 摹狀

摹狀是摹寫對於事物情狀的感覺的辭格。有摹視覺的，如『適有大星，光熤熤自東西流。』（程敏政夜渡兩關記），也有摹聽覺的，如『伐木丁丁，鳥鳴嚶嚶』（詩經）。而摹寫聽覺的尤爲常見。所以普通就稱它爲摹聲格。摹聲格所用的摹聲辭，概只取其聲音，不問意義。如：

（一）過了水仙祠，仍舊下了船，盪到歷下亭的後面，兩邊荷葉荷花，將船夾住；那荷葉初枯，擦的船嗤嗤價響。那水鳥被人驚起，格格價飛。（老殘遊記第二回）

（二）猛聽得角門兒呀的一聲，風過處，衣香細生。（西廂記酬韻）

（三）車轔轔，馬蕭蕭，行人弓箭各在腰。耶孃妻子走相送，塵埃不見咸陽橋。牽衣頓足攔道哭，哭聲直上干雲霄。（杜甫兵車行）

（四）黯黯江雲瓜步雨，蕭蕭木葉石城秋。（陸游登賞心亭詩）

（五）天王營門外，大小天兵，接住了太子，氣哈哈的喘息未定。（西遊記第六回）

（六）我頭岑岑也，藥中得無有毒？（前漢書外戚傳）

摹聲格是吸收了聲音的要素在語辭中的一種辭格，約略可以分作兩類：（一）是直寫事物的聲音的；（二）是借了對於聲音所得的感覺，表現當時的氣氛的。如前所舉數例，從（一）到（四）可以算是前者；（五）和（六）可以算是後者。

用這兩類的摹聲辭各有一點應該預防：用前一類時應防流於輕佻；用後一類時應防沒有使人同感的力量。我國文中用後一類的，素來不多，指摘尚可不必；而用第一類的每每有人把『噹噹噹』『叮噹、叮噹、叮噹』之類毫無節制地用，所有失敗的事例早就可觀，必須留意。

七 雙關

雙關是用一語詞同時關顧兩種不同事物的修辭方式。例如：

楊柳青青江水平，聞郎江上唱歌聲。
東邊日出西邊雨，道是無晴還有晴。

這首竹枝詞中的『晴』就是一種雙關辭。一面關顧上句『東邊日出西邊雨』，說晴雨的晴，意思是照言陳（就是語面的意思）說『道是無晴還有晴』，一面卻又關顧再上一句『聞郎江上唱歌聲』，說情感的情，意思是照意許（就是語底的意思）說『道是無情還有情』。照以前評註的通例畫起表來，便是這樣：

楊柳青青江水平，聞郎江上唱歌聲，┐
東邊日出西邊雨，┘——道是無晴還有晴。

就這個例來說，晴字雙關所及的兩個不同的對象，內容上是有輕重主從的分別的：如眼前的事物『晴』實際是輔，心中所說的意思『情』實際是主。但在語言文字上卻是並無輕重主從的分別地，雙方都關顧到。就形式說,卻是平行地雙關的。

雙關這種辭格,形式頗與析字格中借音的析字相類,而內容不同,因爲借音是借這音去表那意的,不是雙關兩意的;內容又頗與起興相似,而形式不同,因爲起興總是起興辭擺在前頭,而這卻是放在後頭的。

謝榛的四溟詩話說:

> 古詞曰,『黃蘗向春生,苦心隨日長』。又曰,『霧露隱芙蓉,見蓮不分明』。又曰,『石闕生口中,銜碑不得語』。又曰,『桑蠶不作繭,晝夜長懸絲』。又曰,『理絲入殘機,何悟不成匹』。又曰,『桐枝不結花,何由得梧子』。又曰,『殺荷不斷藕,蓮心已復生』。此皆吳格,指物借意。

『指物借意』四字,實是這類辭法的正確說明。但就說是『吳格』,卻又未免太被幾個吳聲歌曲的成例所拘束了。

指物借意的雙關辭,並不是吳地所獨有(甚至並不是中國所獨有),這在以前也不是完全沒有人知道。如李調元的雨村詩話(十三)就曾說:

> 詩有借字寓意之法,廣東謠云,雨裏蜘蛛還結網,想晴惟有暗中絲,以晴寓情,以絲寓思。

所引的廣東歌謠正是這一類辭法,又如梁紹壬兩般秋雨盦隨筆(六)中也曾說:

> 粵俗好歌……語多雙關。

所引的廣東歌謠中間也正有這一類辭法。不過事實上是樂府詩集的吳聲歌曲中用這類辭法最多,也是因爲吳聲歌曲用這類辭法最多,這纔引起文人的注意和模仿的。所以像李調元那樣已經知道這種

辭格並不是什麼『吳格』的人，也還是要說它是『樂府閨怨體也』。（引同上）

這類辭格的成立，是以語音能夠關涉眼前和心裏的兩種事物爲必要條件。重心在乎語音。在乎用作雙關的語音，和那表明主意的語音的等同或類似。所以這類的辭例，經常見於歌謠戲劇之類注重語音的文辭中。

至於字形字義是否類同，原本可以不論。假如爲了便於分析起見，把形義也同時放在眼裏來考察，則我們可以把雙關語詞對於表明主意的語辭的關係，分爲下列三種：

（1）音類同，

（2）音、形類同，

（3）音、形、義類同。

其中（1）（2）兩種多見於歌謠；（3）這一種多見於平話小說。我們可以把它們歸總做兩羣，把（1）（2）兩種，言陳之外暗藏意許之義的，稱作表裏雙關；（3）這一種將一義明明兼指彼此兩事的，稱作彼此雙關。

一、表裏雙關——（甲）單單諧音的：

（一）將懊惱——石闕晝夜題；碑淚常不燥。（華山畿）

（二）別後常相思，——頓書千丈闕，題碑無罷時。（華山畿）

（三）打壞木棲牀，誰能坐相思？三更書石闕，憶子夜題碑。（讀曲歌）

（四）奈何許——石闕生口中，銜碑不得語。（讀曲歌）

（五）聞乖事難懷，況復臨別離；伏龜語石板，方作千歲碑。（讀曲歌）

『題』暗作『啼』，『碑』暗作『悲』。都以『題』『碑』關本句，同時又以『啼』『悲』關上句。

（六）奈何不可言——朝看莫牛跡，知是宿蹄痕。（讀曲歌）

『蹄』『啼』表裏雙關。

（七）縠衫兩袖裂，花釵鬢邊低；何處分別歸，西上古餘啼。（讀曲歌）

『啼』『隄』表裏雙關。這以正面的『啼』關上句，同前面幾個例稍爲不同。

（八）垂簾倦煩熱，卷幌乘淸陰；風吹合歡帳，直動相思琴。（王金珠子夜夏歌）

『琴』『情』雙關。

（九）今夕已歡別，會合在何時？明燈照空局，悠然未有期。（子夜歌）

（十）坐倚無精魂，使我生百慮；方局十七道，期會在何處。（讀曲歌）

『期』『棋』雙關。

（十一）執手與歡別，欲去情不忍；餘光照己藩，坐見離日盡。（讀曲歌）

（十二）聞歡遠行去，相送方山亭；風吹黃蘗藩，惡聞苦離聲。（石城樂）

『離』『籬』雙關。

（十三）憐歡好情懷，移居作鄉里；桐樹生門前，出入見梧子。（子夜歌）

（十四）仰頭看桐樹，桐花特可憐；願天無霜雪，梧子解千年。（子夜秋歌）

（十五）我有一所歡，安在深閤裏；桐樹不結花，何由得梧子。（懊儂曲）

『梧』『吾』表裏雙關。

（十六）歡相憐，題心共泣血。梳頭入黃泉，分爲兩死計。（讀曲歌）

『計』『髻』雙關。

（十七）非歡獨慊慊，儂意亦驅驅；雙燈俱時盡，奈許兩無由。（讀曲歌）

（十八）十期九不果，常抱懷恨生；然燈不下炷，有油那得明。（讀曲歌）

『由』『油』雙關。

（十九）闊面行負情，詐我言端的；畫背作天圖，子將負星歷。（讀曲歌）

『星』『心』雙關。——『負』是下一項的雙關。

最流行的是用芙蓉蓮藕和蠶絲布匹做雙關。但匹也應歸入下一項。

（二十）高山種芙蓉，復經黃蘗塢；果得一蓮時，流離嬰辛苦。（子夜歌）

（二十一）我念歡的的，子行由豫情；霧露隱芙蓉，見蓮不分明。（子夜歌）

（二十二）朝登涼臺上，夕宿蘭池裏；乘月採芙蓉，夜夜得蓮子。（子夜夏歌）

（二十三）鬱蒸仲暑月，長嘯出湖邊；芙蓉始結葉，花豔未成蓮。（子夜夏歌）

（二十四）盛暑非遊節，百慮相纏綿；汎舟芙蓉湖，散思蓮子間。（子夜夏歌）

（二十五）掘作九州池，盡是大宅裏；處處種芙蓉，婉轉得蓮子。（子夜秋歌）

（二十六）江南蓮花開，紅光覆碧水；色同心復同，藕異心無異。（梁武帝子夜夏歌）

（二十七）千葉紅芙蓉，照灼綠水邊；餘花任郎摘，愼莫罷儂蓮。（讀曲歌）

（二十八）思歡久，不愛獨枝蓮，只惜同心藕。（讀曲歌）

（二十九）嬌笑來向儂，一抱不得已；湖燥芙蓉萎，蓮汝藕欲死。（讀曲歌）

（三十）歡心不相憐，慊苦竟何已；芙蓉腹裏萎，蓮汝從心起。（讀曲歌）

（三十一）種蓮長江邊，藕生黃蘗浦，必得蓮子時，流離經辛苦。（讀曲歌）

（三十二）罷去四五年，相見論故情；殺荷不斷藕，蓮心已復生。（讀曲歌）

（三十三）青荷蓋綠水，芙蓉披紅鮮；下有並根藕，上生並目蓮。（青陽度）

（三十四）歡欲見蓮時，移湖安屋裏；芙蓉繞牀生，眠臥抱蓮子。（楊叛兒）

『芙蓉』和『夫容』，『蓮』和『憐』，『藕』和『偶』各雙關。

（三十五）前絲斷纏綿，意欲結交情；春蠶易感化，絲子已復生。（子夜歌）

（三十六）婉孌不終夕，一別周年期；桑蠶不作繭，晝夜長懸絲。（七日夜女歌）

（三十七）僞蠶化作繭，爛熳不成絲；徒勞無所獲，養蠶持底爲。（採桑度）

（三十八）隱機倚不織，尋得爛熳絲；成匹郎莫斷，憶儂經絞時。（青陽度）

『絲』『思』雙關。

（乙）音形都可通用，而字義不同，就義做雙關的：

（三十九）見娘喜容媚，願得結金蘭；空織無經緯，求匹理自難。（子夜歌）

（四十）始欲識郎時，兩心望如一；理絲入殘機，何悟不成匹。（子夜歌）

（四十一）春傾桑葉盡，夏開蠶務畢；晝夜理機縛，知欲早成匹。（子夜夏歌）

『匹』雙關布匹和匹偶。以布匹的『匹』關本句，匹偶的『匹』關上句。與上項所引的例同。

（四十三）郎爲傍人取，負儂非一事；擗門不安橫，無復相關意。（子夜歌）

『關』雙關關門和關心。

（四十四）一夕就郎宿，通夜語不息；黃蘗萬里路，道苦眞無極。（讀曲歌）

『道』雙關道路和道說。

（四十五）夜半冒霜來，見我輒怨唱；懷冰闇中倚，已寒不蒙亮。（子夜冬歌）

『亮』雙關明亮和原亮。

（四十六）自從別歡後，歎聲不絕響；黃蘗向春生，苦心隨日長。（子夜春歌）

『苦』雙關苦味和苦情。

（四十七）音信闊弦朔，方悟千里遙；朝霜語白日，知我爲歡消。（讀曲歌）

『消』雙關霜的消融和我的消瘦。

（四十八）自從別郎後，臥宿頭不舉；飛龍落藥店，骨出只爲汝。（讀曲歌）

『骨』雙關飛龍的骨和思婦的骨。

以上所舉都是郭茂倩樂府詩集清商曲辭中間吳聲歌曲和西曲歌裏面的例。就這些例看來，我們可以看出：（1）借來做雙關的都是歌者當地所見得到的事物，如藩籬、梧桐、芙蓉、蓮藕、蠶絲、布匹之類；（2）借來做雙關的也是歌者當時所見得到的事物，如『春歌』裏說的『黃蘗向春生』，『夏歌』裏說的『藕異心無異』之類。大概最初用這辭法，都是卽物抒情的；謝榛說是『指物借意』，實在是非常確切的解說。

下列兩例更加顯然：

（四十九）宣和中，童貫用兵燕薊，敗而竄。一日內宴，教坊進伎爲三四婢，首飾皆不同。其一，當額爲髻，曰，『蔡太師家人也』。其二，髻偏墜，曰，『鄭太宰家人也』。又一人滿頭爲髻如小兒，曰，『童大王家人也』。問其故。蔡氏者曰，『太師覲清光，此名朝天髻』。鄭氏者曰，『吾太宰奉祠就第，此懶梳髻』。至童氏者曰，『大王方用兵，此三十六髻也』。（周密齊東野語卷十三）

『三十六髻』雙關『三十六計』；『三十六計』是諺語『三十六計，走爲上計』的歇後藏詞語，用以諷刺童貫的『敗而竄』。

（五十）章宗元妃李氏勢位熏赫，與皇后侔。一日宴宮中，優人玳瑁頭者戲於上前。或問上國有何符瑞。優曰，『汝不聞鳳凰見乎？』曰，『知之而未聞其詳。』優曰，『其飛有四，所應亦異：若嚮上飛則風雨順時；嚮下飛則五穀豐登；嚮外飛則四國來朝；嚮裏飛則加官進祿。』上笑而罷。（金史后妃傳）

『嚮裏飛』雙關『嚮李妃』。

這一類的措辭法，在現在的歌謠中也很多，而且實際運用時也還有指物表意的情形。

二、彼此雙關——這也顯然是借眼前的事物來講述所說意思的一種措辭法，就是舊小說上所謂指桑說槐。這種雙關所用的是音形義三方面都能關涉兩種事物的雙關辭。雙關辭不必只是一個詞，而常是幾個句。如：

（五十一）這里寶玉又說，「不必燙暖了，我只愛喝冷的。」薛姨媽道，「這可使不得，喫了冷酒，寫字手打顫兒。」寶釵笑道，「寶兄弟，虧你每日家雜學旁搜的，難道就不知道酒性最熱？要熱喫下去，發散的就快；要冷喫下去，便凝結在內，——拿五臟去暖他，豈不受害？從此還不改了呢？快別喫那冷的了。」寶玉聽這話有理，便放下冷的，令人燙來方飲。黛玉磕着瓜子兒，只管抿着嘴兒笑。可巧黛玉的丫鬟雪雁走來，給黛玉送小手爐兒。黛玉因含笑問他說，「誰叫你送來的？難爲他費心，哪里就冷死了我？」雪雁道，「紫鵑姐姐怕姑娘冷，叫我送來的。」黛玉接了抱在懷中，笑道，「也虧你倒聽他的話！我平日和你說的，全當耳旁風；怎麽他說了，你就依的比聖旨還快呢！」（紅樓夢第八回）

點出的幾句都是雙關喫冷酒和送手爐兩件事，所以「寶玉聽這話便知是黛玉借此奚落他」。

八　引用

文中夾插先前的成語或故事的部分，名叫引用辭。引用故事成語，約有兩個方式：第一，說出它是何處成語故事的，是明引法；第二，並不說明，單將成語故事編入自己文中的，是暗用法。兩者的關係很像譬喩格中的明喩和借喩：一方明示哪一部分是引用語；一方就用引用語代本文。

一、明引法

（一）守舊者吾無責焉！僞維新者吾無責焉！

吾請正告吾黨之眞有志天下事者，曰：公等勿恃客氣也！勿徒悚動於一時之高論！以爲吾知此，而吾事畢也。西哲有恒言：「知責任者大丈夫之始，行責任者大丈夫之終。」吾儕不認此責任則已耳，苟既任之，則當如婦人之於所天，終身不二，矢死靡他。吾儕初知責任之日，即此身初嫁與國民之日也。自頂至踵，夫豈復我所得私？於此而欲不亹亹焉，夫亦安得避也？然天下事，順逆之常相倚也，又如彼。吾黨乎！吾黨乎！當知古今天下，無有無阻力之事。苟其畏阻力也，則勿如勿辦，竟放棄其責任，以與齊民伍，而不然者，能種種煩惱，皆爲我練心之助；種種危險，皆爲我練膽之助；種種艱苦，皆爲我練智練力之助。隨處皆我之學校也，我何畏焉？我何怨焉？我何餒焉？我願無盡，我學無盡，我知無盡。孔子曰：「望其壙，睪如也，鬲如也！君子息焉，小人休焉。」毅之至也，聖之至也。

文中用引號標示起訖的部分都是明引法。

（二）晉侯復假道於虞以伐虢。宮之奇諫曰，『虢，虞之表也。虢亡，虞必從之。……諺所謂「輔車相依，脣亡齒寒」者，其虞虢之謂乎？』（左傳僖公五年）

文中標單引號的部分也是明引法。

（三）『峨眉山月半輪秋，影入平羌江水流』。
謫仙此語誰解道，諸君見月時登樓。（蘇軾送人守嘉州詩）

這詩上兩句係引用李太白峨眉山月歌的頭兩句，也是明引法。

二、暗用法

（四）陵夷至於梁、陳間，率不過嘲風雪，弄花草而已。噫！風雪花草之物，三百篇中豈捨之乎？顧所用何如耳。設如「北風其涼」，假風以刺威虐也；「雨雪霏霏」，因雪以愍征役也；「棠棣之華」、感華以諷兄弟也；「采采芣苢」，美草以樂有子也。皆興發於此，而義歸於彼。反是者，可乎哉！然則「餘霞散成綺，澄江淨如練」，「歸花先委露，別葉乍辭風」之什，麗則麗矣，吾不知其所諷焉。故僕所謂嘲風雪，弄花草而已。於是六義盡去矣。

唐興二百年，其間詩人，不可勝數。所可舉者：陳子昂有感遇詩二十首，鮑防有感興詩十五篇。又詩之豪者，世稱李、杜。李之作，才矣、奇矣，人不逮矣；索其風、雅、比、興，十無一焉。杜詩最多，可傳者千餘首。至於貫穿今古，覼縷格律，盡工盡善，又過於李焉。然撮其新安吏、石壕吏、潼關吏、塞蘆子、留花門之章，「朱門酒肉臭，路有凍死骨」之句，亦不過十三四。杜尚如此，況不逮杜者乎？（白居易與元九書）

文中括號內的，「北風其涼」（詩經邶風北風篇），「雨雪霏霏」（詩經小雅采薇篇），「棠棣之華」（詩經小雅常棣篇），「采采芣苢」（詩經周南芣苢篇），「餘霞散成綺，登江淨如練」（謝朓登三山還望京邑詩），「歸花先委露，別葉乍辭風」（鮑照玩月城西門中廨詩），「朱門酒肉臭，路有凍死骨」（杜甫自京赴奉先縣詠懷五百字詩），都是暗用成語的。

（五）春風過柳綠如繅，晴日蒸紅出小桃。（王安石春風詩）

文中『蒸紅』，有人說是暗用韓愈桃源圖詩中『種桃處處唯開花，川原遠近蒸紅霞』成語。

以上兩類的引用法，各可分爲略語取意和語意並取兩組。在暗用法中，如『朝晨聞了道，……』

即是前者，其餘都是後者。明用法中，後者的例上文早已列舉過了，現在再舉兩個前者的例：

（六）衆之不可已也。……太誓所謂商兆民離，周十人同者，衆也。（左傳成公二年）

（七）陽子將爲祿仕乎？古之人有云，仕不爲貧，而有時乎爲貧，謂祿仕者也。宜乎辭尊而居卑，辭富而居貧，若抱關擊柝者可也。……若陽子之秩祿，不爲卑且貧章章明矣，而如此，其可乎哉？（韓愈爭臣論）

所引兩例都曾添減原文；原文是『受有億兆夷人，離心離德；予有亂臣十人，同心同德』（尙書泰誓中）及『仕非爲貧也，而有時乎爲貧。……爲貧者辭尊居卑，辭富居貧。辭尊居卑，辭富居貧，惡乎宜乎？抱關擊柝。』（孟子萬章下）

引用辭除了上述這四組正經的之外，還有一類滑稽的用法，割截成文，以資談笑；如周密齊東野語（十三）所載：

當史丞相彌遠用事，選人改官，多出其門。制闆大宴，有優爲衣冠者數輩，皆稱孔門弟子，相與言『吾儕皆選人』。遂各言其姓，曰：『吾爲常從事』。『吾爲於從政』。『吾爲吾將仕』。『吾爲路文學』。別有二人出，曰：

『吾宰予也；夫子曰，「於予與改」，可謂僥倖』。其一曰：

『吾顏回也；夫子曰，「回也不改」。吾爲四科之首而不改，汝何爲獨改？』曰：

『吾鑽故改；汝何爲不鑽？』曰：

『吾非不鑽，而鑽彌堅耳。』曰：

「汝之不改宜也，何不鑽彌遠乎？」

其詼諧奇巧，眞像周密所謂「巧發微中，有足稱言者」。但所援引全是「離析文義」，就是所謂割截成文：

常從事——曾子曰，「以能問於不能，以多問於寡，有若無，實若虛，昔者吾友嘗從事於斯矣。」（泰伯）

於從政——子曰，「苟正其身矣，於從政乎何有？不能正其身，如正人何？」（子路）

吾將仕——孔子曰，「諾，吾將仕矣。」（陽貨）

路文學——德行，顏淵、閔子騫、冉伯牛、仲弓；言語，宰我、子貢；政事，冉有、季路；文學，子游、子夏。（先進。顏淵就是顏回，回字子淵，所以也稱顏淵。）

於予與改——宰予晝寢……子曰，「始吾於人也，聽其言而信其行，今吾於人也，聽其言而觀其行，於予與改是。」（公冶長）

回也不改——子曰，「賢哉回也！一簞食，一瓢飲，人不堪其憂，回也不改其樂，賢哉回也！」（雍也）

鑽彌堅——顏淵喟然嘆曰，「仰之彌高，鑽之彌堅，瞻之在前，忽焉在後……」（子罕）

共引七條，盡出論語一書。

這兩類的引用法之中，第二類暗用法最與所謂用典問題有關係，最容易發生流弊，十年前新文藝方纔萌芽時文學改革所竭力攻擊的就是它。所謂流弊，約有五項：（一）用典隱僻，使人不解；（二）

用典拉雜，令人生厭；（三）用典浮泛，難知眞意；（四）刻削成語，不合自然；至於（五）用典失照管，如高齋詩話所指摘的荆公桃源行『望夷宮中鹿爲馬，秦人半死長城下』，指鹿事既不在望夷宮，又不是築長城的始皇的事，而詩中卻竟那樣說，那更是應該嚴加批判的。

第一類明引法在中國文學中發現的奇現象，就是那全篇盡集古人成語而成的所謂『集句』或『集錦』。集句大抵是詩，文不多見。詩的集句，王直方詩話說是始於王荆公；西淸詩話又說宋初已有，不過未盛，並非始於荆公（見漁隱叢話前集三十五所引）。而淸人趙吉士輯的寄園寄所寄卷四撚鬚寄詩原篇引稗史，卻說『晉傅咸作集經詩……乃集句詩之始』。三說之中，自以最後一說爲最可信。今檢漢魏六朝百三名家集就可發見傅氏有集論語、集毛詩、集周易、集左傳之類的詩若干首。後來愈演愈盛，到了淸朝，竟出現了黄唐堂的全集各體詩九百餘首，盡是集句而成的香屑集，集首一文也係集句而成，居然做得也還有人稱它工巧。明引法臃腫的發展，從此便沒有餘地了。

九　仿擬

爲了滑稽嘲弄而故意仿擬特種既成形式的，名叫仿擬格。仿擬有兩種：第一是擬句，全擬既成的句法；第二是仿調，只擬既成的腔調。這兩類的仿擬，都是故意開玩笑，同尋常所謂模仿不同。

擬句的例：

（一）貢父（劉攽）晚苦風疾，鬢眉皆落，鼻梁且斷。一日與子瞻數人小酌，各引古人語相戲。子瞻戲貢父云，『大風起兮眉飛颺，安得壯士兮守鼻梁』。座中大噱，貢父恨悵不已。（套擬劉

邦大風歌『大風起兮雲飛揚，威加海內兮歸故鄉，安得猛士兮守四方』首尾兩句）（王闓之滙水燕談錄十）

（二）春輝道，『我因今日飛鞋這件韻事，久已想要替他描寫描寫，難得有這「巨屨」二字，意欲借此摹仿幾部書，把他表白一番，姊姊可有此雅興？』題花道，『如此極妙，就請姊姊先說一個。』春輝道，『我仿宋玉九辯：獨不見巨屨之高翔兮，乃墮卞氏之圃。』（這是仿調，當入下類。）題花道，『我仿反離騷：巨屨翔於蓬渚兮，豈凡屨之能捷？』（揚雄反離騷：鳳凰翔於蓬渚兮，豈鴐鵝之能捷？）玉芝道，『我仿賈誼賦：巨屨翔於千仞兮，歷青霄而下之。』（賈誼弔屈原賦：鳳凰翔於千仞兮，覽德輝而下之。）小春道，『我仿宋玉對楚王問：巨屨上擊九千里，絕雲霓，入青霄，飛騰乎杳冥之上；夫凡庸之屨，豈能與之料天地之高哉？』（原文：鳳凰上擊九千里，絕雲霓，負蒼天，足亂浮雲，翺翔乎杳冥之上；夫藩籬之鷃，豈能與之料天地之高哉？）春輝道，『這幾句仿的雄壯。』紫芝道，『若要雄壯，這有何難！我仿莊子：其名爲屨，屨之大不知其幾千里也，怒而飛，其翼若垂天之雲。是屨也，海運則將徙於南冥。南冥者，天池也。諧之言曰：「屨之徙於南冥也，水擊三千里，摶扶搖而上者九萬里，去以六月墮者也。」』（逍遙遊：北冥有魚，其名爲鯤，鯤之大不知其幾千里也。化而爲鳥，其名爲鵬，鵬之背不知其幾千里也。怒而飛，其翼若垂天之雲。是鳥也，海運則將徙於南冥。南冥者，天池也。齊諧者，志怪者也。諧之言曰：『鵬之徙於南冥也，水擊三千里，摶扶搖而上者九萬里，去以六月息者也。』）春輝道，『這個不但雄壯，並且極言其大，很得題神。』紫芝道，『我仿毛詩：巨屨颺矣，于彼高岡；大足光矣，于彼馨香。』（大雅卷阿篇：鳳凰鳴矣，于彼高岡，梧桐生矣，于彼朝陽。）春輝道，『馨香二字是褒中帶貶，反面文章，含蓄無窮，頗有風人之旨。我仿月令：是月也，牡丹芳，芍藥豔，遊卞圃，抛氣球，鞋乃飛騰。』玉芝道，『還有一句呢？』紫芝道，『足赤』。（也是仿調）。說的衆人好笑。青鈿道，『你們變着樣兒罵我，只好隨你們嚼蛆。但有侮聖言，將來難免都有報應。』衆人道，『有何報應？』青鈿把舌一伸，又把五個手指朝下一彎道，『只怕都要「適蔡」哩』。衆人聽了，一齊發笑。（鏡花緣第八十七回）

仿調的例：

（三）有一秀才日喜看盲詞。適居歲考，場中命題係『子曰，赤之適齊也』，至『與之粟九百，辭』。遂援筆立就。其文曰：

聖人當下開言說，你今在此聽分明。公西此日山東去，裘馬翩翩好送行。自古道：雪中送炭爲君子，錦上添花是小人。豪華公子休提起，再表爲官受祿身。爲官非是別一個，堂堂縣令姓原人。得了俸米九百石，堅辭不要半毫分。

案出，以不遵功令置劣等。（文係仿論語雍也篇『子華使於齊，冉子爲其母請粟；子曰，「赤之適齊也，乘肥馬，衣輕裘。吾聞之也，君子周急不繼富。」原思爲之宰，與之粟九百，辭。子曰，「毋！以與爾鄰里鄉黨乎？」』一節中題文摘取的一段。）（梁章鉅制義叢話二十四）

（四）燕芝瓊道，『紫芝妹妹替我說個笑話，我格外多飲兩杯，何如？』紫芝道，『妹子自然代勞。』綠雲道，『紫芝妹妹向來說的大書最好，並且還有寶兒教的小曲兒；紫瓊姊姊既飲兩杯，何不點他這個?』紫芝道,『如果普席肯飲雙杯,我就說段大書。』衆人道,『如此極妙。我們就飲兩杯。』丫鬟把酒斟了。紫芝取出一塊醒木道,『妹子大書甚多,如今先將「子路從而後」至「見其二子焉」這段書說給大家聽聽。』於是把醒木朝桌上一拍道:

『列位壓靜聽,在下且把此書的兩句題綱念來:遇窮時師生錯路,情殷處父子留賓。』又把醒木一拍道:『只爲從師濟世,誰知反宿田家?半生碌碌走天涯,到此一齊放下。鷄黍殷勤款洽,主賓情意堪嘉。山中此夕莫嗟訝,師弟睽違永夜。』又把醒木一拍道:『話說那子路在楚蔡地方被長沮桀溺搶白了一番,心中悶悶不樂。迤邐行來,見那道旁也有耕田的,鋤草的,老的老,少的少,觸動他一片濟世的心腸,脚步兒便步得遲了。擡起頭來,不見了夫子的車輛。正在慌張之際,只見那道旁來了一位老者,頭戴范陽氈帽,身穿藍布道袍,手中拏着拄杖,杖上挂着鋤草的家伙。子路便問道,「老丈,你可見我的夫子麽?」那老者定睛把子路上下一看道,「客官,我看你肩不能挑,手不能提,識不得芝麻,辨不得蓑荳;誰是你的夫子?」老者說了幾句,把杖來插在一邊,取了家伙,自去耘田去了。』又把醒木一拍道:

『列位,大凡遇見年高有德之人,須當欽敬;所以信陵君爲侯生執轡,張子房爲圯上老人納履,後來興王定霸,做出許多事業。那子路畢竟是聖門高弟,有些識見的人,聽了老丈言語,他就叉手躬身站在一旁。那老者耘田起來,對着子路說,「客官,你看天色晚下來了,舍間離此不遠,何不草榻一宵?」子路說,「怎好打攪?」於是老者在前,子路在後,逕至門首。遂至中堂。宰起鷄來,煮起飯來,喚出他兩個兒子,兄先弟後,彬彬有禮,見了子路。唉,可憐子路半世在江湖上行走，受了人家許多怠慢，今日餚饌雖然不豐，卻也慇懃款待，十分盡禮，不免飽餐一頓，蒙被而臥。正是：山林惟識天倫樂，廊廟空懷濟世憂。畢竟那老者姓甚名誰，夫子見與不見，下文交代。』衆人聽了一齊讚好，把酒飲了。（大書原文爲『子路從而後，遇丈人，以杖荷篠。子路問曰，「子見夫子乎？」丈人曰，「四體不勤，五穀不分，孰爲夫子？」植其杖而芸。子路拱而立。止子路宿，殺鷄爲黍而食之，見其二子焉。』見論語微子篇）（鏡花緣第八十三回）

（五）制義中有所謂墨派者，庸惡陋劣無出其右。有即以墨卷爲題，仿其調作兩股以嘲之者，曰：

天地乃宇宙之乾坤，吾心實中懷之在抱。久矣夫千百年來已非一日矣。溯往事以追維，曷勿考記載而誦詩書之典籍。元后即帝王之天子，蒼生乃百姓之黎元，庶矣哉億兆民中已非一人矣。思入時而用世，曷弗瞻黼座而登廊廟之朝廷。

疊牀架屋，今之所謂音調鏗鏘者何以勝此。（梁紹壬秋雨盦隨筆三，梁章鉅制義叢話二十四）

此外還有參用上列兩式的，如劉鑠的擬行行重行行，便是仿擬古詩十九首

眇眇陵長道，遙遙行遠之。
迴車背京里，揮手從此辭。
堂上流塵生，庭中綠草滋。
寒螿翔水曲，秋兎依山基。
芳年有華月，佳人無還期。

日夕涼風起，對酒長相思。
悲發江南調，憂委子襟詩。
臥覺明燈晦，坐見輕紈緇。
淚容不可飾，幽鏡難復治。
願垂薄暮景，照妾桑榆時。

古詩十九首，行行重行行

行行重行行，與君生別離。
相去萬餘里，各在天一涯。
道路阻且長，會面安可知。
胡馬依北風，越鳥巢南枝。
相去日已遠，衣帶日已緩。
浮雲蔽白日，遊子不顧友。
思君令人老，歲月忽已晚。
弃捐勿復道，努力加餐飯。

劉爍的擬明月何皎皎也是仿擬古詩十九首

落宿半遙城，浮雲藹曾闕。
玉宇來清風，羅帳延秋月。
結思想伊人，沈憂懷明發。
誰爲客行久，屢見流芳歇。
河廣川無梁，山高路難越。

古詩十九首明月何皎皎

明月何皎皎，照我羅床幃。
憂愁不能寐，攬衣起徘徊。
客行雖云樂，不如早旋歸。
出戶獨彷徨，愁思當告誰。
引領還入房，淚下沾裳衣。

十 拈連

甲乙兩項說話連說時，趁便就用甲項說話所可適用的詞彙表現乙項觀念的，名叫拈連辭。這種拈連的修辭，無論甲項說話在前或在後，都可應用。

（一）無言獨上西樓，月如鉤，寂寞梧桐深院鎖清秋。（李煜相見歡。「鎖」字本是適合深院的，但卻又拈連了下文的清秋。）

（二）對蕭蕭暮雨灑江天，一番洗清秋。（柳永八聲甘州）

（三）重門不鎖相思夢，隨意遶天涯。（趙令時錦堂春詞）

（四）一夜東風，枕邊吹散愁多少？數聲啼鳥，夢轉紗窗曉。（曾允元點絳脣詞）

（五）水調數聲持酒聽，午睡醒來愁未醒。送春，春去幾時回？臨晚鏡，傷流景；往事悠悠空記省。（張先天仙子詞）

（六）出門萬里客，中道逢嘉友，未言心先醉，不在接杯酒。（陶潛擬古九首之一）

（七）敲碎離愁，紗窗外風搖翠竹。人去後吹簫聲斷，倚樓人獨。滿眼不堪三月暮，舉頭已覺千山綠。但試把一紙寄來書，從頭讀。（辛棄疾滿江紅詞）

以上從例（一）到例（四），別項說話在前，拈連辭在後；例（五）和例（六），反此。

十一 移就

遇有甲乙兩個印象連在一起時，作者就把原屬甲印象的性狀形容詞移屬於乙印象的，名叫移就辭。移就格中各個成分的關係如下圖：

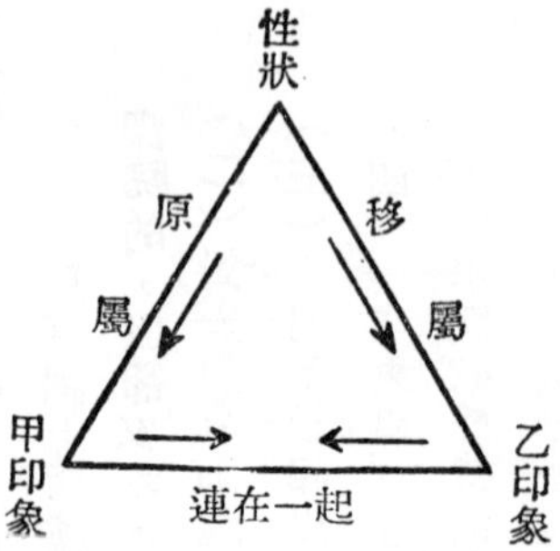

我們常見的，大概是把人類的性狀移屬於非人的或無知的事物：

（一）孫悟空在旁聞講，喜得抓耳撓腮，眉花眼笑，忍不住手之舞之，足之蹈之。（西遊記第二回）

（二）學者牽於所聞，見秦在帝位日淺，不察其始終，因而笑之，此與耳食何異？（史記六國表）

（三）恨眉醉眼，甚輕輕覷着。（秦觀河傳）

（四）明日重尋石頭路，醉鞍誰與共聯翩。（陸游過采石有感；醉的本是放翁，今屬於鞍。）

（五）風便欲懸帆，忽忽離襟生凍。休送休送，今夜月寒珍重。（王修微如夢令詞）

（六）相如視秦王無意償趙城……持璧卻立倚柱，怒髮上衝冠。（史記藺相如傳）

此外如常說的『情書』『病院』之類，也是屬於這一格的修辭。

第六篇　積極修辭二

乙類　意境上的辭格

一　比擬

將人擬物（就是以物比人）和將物擬人（就是以人比物）都是比擬。詩人玉屑卷九載楊萬里論比擬說：

白樂天女道士詩云，『姑山半峯雪，瑤水一枝蓮』，此以花比美婦人也；東坡海棠詩云，『朱唇得酒暈生臉，翠袖卷紗紅映肉』，此以美婦人比花也。

一切比擬就像這樣，可以分作兩類：一如此處前例，將人擬作物的，稱爲擬物；一如後例，將物擬作人的，稱爲擬人。

（甲）擬人

擬人是一種常用的辭法。在描寫、抒情的語文中，幾乎時常可以見到，而尤以童話爲多。童話多是全篇純用擬人辭法，因爲太長，不便引用。今舉比較簡短的例於下：

（一）盼望着，盼望着，東風來了，春天的脚步近了。一切都像剛睡醒的樣子，欣欣然張開了眼。山朗潤起來了，水長起來了，太陽的臉紅起來了。小草偷偷地從土裏鑽出來，嫩

嫩的，綠綠的。園子裏，田野裏，瞧去，一大片一大片滿是的（朱自清春）

（二）他充分形容了在金絲籠子裏的那位檸檬色的小管家。喔，他叫着，它的生活是多麽漂亮，多麽悤忙，它管得着的事情又那麽多，看它多麽靈便的從這橫條跳上那橫條，從橫條跳到籠板上，又從籠板跳回橫條上去。看它那麽欣欣的不時來啄了一嘴細食，要不然，趁高與一搖頭又把嘴裏的細食散成了一陣驟雨。看它那好奇的神情，轉着他那亮亮的眼珠看看這邊，又看看那邊，一點新來稀小的聲響，它都得凝神的傾聽；眼前什麽看得見的東西，它都得出神的細看。它不能有一息安定，不叫就唱，不蹤就跳，不吃就喝，扭過頭就修飾它的羽毛，至少每分鐘得做十多樣不同的勾當。這來忙住了，它再也沒工夫迴想世界是寬是窄——它再也不想想這絲籠圈住了它，隔絕了它與它所從來的偉大的世界；風動的樹林，晴藍的天空，自由輕快的生涯，再也不是它的了。（徐志摩譯天才）

（三）陽春召我以烟景，大塊假我以文章。（李白春夜宴桃園序）

（四）飢來驅我去，不知竟何之。（陶潛乞食詩）

（五）春蠶到死絲方盡，蠟炬成灰淚始乾。（李商隱無題詩）

（六）羌笛何須怨楊柳，春風不度玉門關。（王之渙出塞詩）

（乙）擬物

擬物也多見於描寫抒情的語文中，但不像擬人那樣的常用，用也多是部分的。現舉數例於下：

（一）鴻鵠高飛，一舉千里。羽翼已就，橫絕四海。橫絕四海，又可奈何！雖有矰繳，尚安所施？（鴻鵠歌，本事見漢書張良傳；高帝欲廢太子，立戚夫人子趙王如意。後不果。戚夫人泣涕。帝曰，『爲我楚舞，吾爲若楚歌。』歌的便是這一首歌辭。歌辭是把太子擬作鴻鵠，說他得了四皓爲輔，羽翼已成，不能動了。）

（二）雄兔脚撲朔，雌兔眼迷離。兩兔傍地走，安能辨我是雄雌？（木蘭詩結句，木蘭自擬）

（三）濃粧呵，嬌滴滴擎露山茶；淡粧呵，顫巍巍帶雨梨花。（喬孟符揚州夢第三折）

（四）桃臉兒通紅，櫻唇兒青紫，玉筍纖纖不住搓。（董西廂）

以上兩種辭法，都是發生在情感飽滿，物我交融的時候。雖然用有多少，並非質有上下。中外許多論文說語的書中，多只收錄擬人，不說擬物，除出個人的癖好之外並沒有什麽堅强理由。又兩者擬比的分量也儘可以有種種的差別，並沒有一定的規限，如擬物，從『怎當他臨去秋波那一轉』那樣，單將眼光一部分來擬物起，直到鴻鵠歌那樣全部擬物止，都可以存在。這中間可以分成無數的等級。擬人也是如此。

二 諷喻

諷喻是假造一個故事來寄托諷刺教導意思的一種措辭法。大都用在本意不便明說或者不容易說得明白親切的時候。但說了故事，往往仍舊把本意說了出來，而使故事只成了對象事件的形容。又故事也往往造得極其粗略，不曾具體化到可以獨立存在的地步，有時簡直連形容也不充分，非加說明不容易知道寄托的本意在哪里。這大半由於情急境迫，沒有充分時間來構思設想的緣故。

依據情境急迫的程度和故事獨立的程度，我們可以把諷喻分做兩類：一類是情境急迫，故事只是忽促之間揑造出來，並沒有充分的獨立性的，這在我們日常語言之間，大概叫做『比方』。以下所舉便是幾個出名的比方。如所謂『畫蛇添足』，所謂『鷸蚌相爭』，所謂『狐假虎威』，都已成爲口頭常說的成語。這類比方因爲故事造得太沒有獨立性，往往非連同描寫背景和說明本意的文辭一起看，不能明曉它到底是在那里說什麼。像下面的土偶與桃梗的一例，便彷彿是這樣的。所以我們舉例的時候，不能不將那描寫和說明的文辭一起錄下來，我們計擬把它跟諷喻的本身分行寫，讓大家比較容易看清楚運用比方的實際：

（一）昭陽爲楚伐魏，覆軍殺將，得八城，移兵而攻齊。陳軫爲齊王使，見昭陽，再拜賀戰勝，起而問楚之法：『覆軍殺將，其官爵何也？』昭陽曰，『官爲上柱國，爵爲上執珪。』陳軫曰，『異貴於此者何也？』曰，『唯令尹耳。』陳軫曰，『令尹貴矣，王非置兩令尹也，臣竊爲公譬可也：

（以下諷喻）

楚有祠者，賜其舍人卮酒。舍人相謂曰，「數人飲之不足，一人飲之有餘。請畫地爲蛇，先成者飲酒。」一人蛇先成，引酒且飲之。乃左手持卮，右手畫蛇曰，「吾能爲之足。」未成，一人之蛇成，奪其卮曰，「蛇固無足，子安能爲之足？」遂飲其酒。爲蛇足者，終亡其酒。（以上諷喻）

今君相楚而攻魏，破軍殺將得八城，不弱兵，欲攻齊。齊畏公甚。公以是爲名，足矣；官之上，非可重也。戰無不勝，而不知止者，身且死，爵且後歸，猶爲蛇足也。』昭陽以爲然，解軍而去。

（戰國策齊策二）

(二)趙且伐燕。蘇代爲燕謂(趙)惠王曰,『今者臣來,過易水,(以下諷喩)

蚌方出曝,而鷸啄其肉。蚌合而拑其喙。鷸曰,「今日不雨,明日不雨,卽有死蚌!」蚌亦謂曰,「今日不出,明日不出,卽有死鷸!」兩者不肯相舍,漁者得而並禽之。(以上諷喩)

今趙且伐燕。燕趙久相支以弊大衆,臣恐強秦之爲漁父也,故願王熟計之也。』惠王曰,『善。』乃止。(戰國策燕策二)

(三)荆宣王問羣臣曰,『吾聞北方之畏昭奚恤也,果誠何如?』羣臣莫對。江一對曰:(以下諷喩)

『虎求百獸而食之,得狐。狐曰,「子無敢食我也!天帝使我長百獸;今子食我,是逆天帝也。子以我爲不信,吾爲子先行,子隨我後,觀百獸之見我而敢不走乎?」虎以爲然,故遂與之行。獸見之皆走。虎不知獸畏己而走也,以爲畏狐也。(以上諷喩)

今王之地方五千里,帶甲百萬,而專屬之昭奚恤。故北方之畏奚恤也,其實畏王之甲兵也,猶百獸之畏虎也。』(戰國策楚策一)

(四)孟嘗君將入秦,止者千數而弗聽。蘇秦欲止之。孟嘗君曰,『人事者,吾已盡知之矣;吾所未聞者,獨鬼事耳。』蘇秦曰,『臣之來也,固不敢言人事也,固且以鬼事見君。』孟嘗君見之。謂孟嘗君曰,『今者臣來,過於淄上,(以下諷喩)

有土偶人與桃梗相與語。桃梗謂土偶人曰,「子,西岸之土也,挺子以爲人。至歲八月,降雨下,淄水至,則汝殘矣。」土偶曰,「不然。吾,西岸之土也;吾殘,則復西岸耳。今子,東國之桃梗

也，刻削子以爲人。降雨下，淄水至，流子而去，則子漂漂者將何如耳！」（以上諷喻）

今秦四塞之國，譬若虎口，而君入之，則臣不知君所出矣。」孟嘗君乃止。（戰國策齊策三）

還有一類是情境比較的不急切，故事構造得比較完整，比較有獨立性的，這在我們言談之間大概叫做『寓言』。寓言有寫得很長的，如班釀的天路歷程等，現在只舉幾個簡短的例：

（五）太形王屋二山，方七百里，高萬仞，本在冀州之南，河陽之北。北山愚公者，年且九十，面山而居；懲山之塞，出入之迂也，聚室而謀曰，『吾與汝畢力平險，指通豫南，達於漢陰，可乎？』雜然相許。其妻獻疑曰，『以君之力，曾不能損魁父之丘，如太形王屋何？且焉置土石？』雜曰，『投諸渤海之尾，隱土之北。』遂率子孫荷擔者三夫，叩石墾壤，箕畚運於渤海之尾。鄰人京城氏之孀妻，有遺男，始齔，跳往助之。寒暑易節，始一返焉。河曲智叟笑而止之曰，『甚矣，汝之不慧！以殘年餘力，曾不能毀山之一毛，其如土石何？』北山愚公長息曰，『汝心之固，固不可徹，曾不若孀妻弱子！雖我之死，有子存焉。子又生孫，孫又生子，子又有子，子又有孫。子子孫孫無窮匱也，而山不加增，何苦而不平？』河曲智叟亡以應。操蛇之神聞之，懼其不已也，告之於帝。帝感其誠，命夸娥氏二子負二山，一厝朔東，一厝雍南。自此，冀之南，漢之陰，無隴斷焉。（列子湯問篇）

（六）往昔之世，有富愚人，癡無所知，到餘富家，見三重樓，高廣嚴麗，軒敞疏朗，心生渴仰，卽作是念：『我有財錢，不減於彼，云何頃來而不造作如是之樓？』卽喚木匠而問言曰：『解作彼家端正舍不？』木匠答言：『是我所作。』卽便語言：『今可爲我造樓如彼。』是時木匠，卽便經地壘墼作樓。愚人見其壘墼作舍，猶懷疑惑，不能了知，而問之言：『欲作何等？』木匠答言：『作三重屋。』愚人復言：『我不欲下二重之屋，先可爲我作最上屋。』木匠答言：『無有是事。何有不作最下重屋，而得造彼第二之屋？不造第二，云何得造第三重屋？』愚人固言：『我今不用下二重屋，必可爲我作最上者。』時人聞已，便生怪笑，咸作此言：『何有不造下第一屋而得上者？』（百喻經三重樓喻）

以上兩個例，一個寄寓智而怕難，不如愚而努力的意思，一個寄寓努力應當依照程序，應當從下層基礎做起的意思，都是故事本身便已顯示得明白周到，無須再加說明。

諷喻的故事，固然多是隨機揑造的，故事裏的人物也多是應境揑湊。如曾經過易水，便說是鷸蚌怎樣怎樣，只好講鬼事時便說是土偶和桃梗怎樣怎樣。揑湊的時候也多對於部類不加鑑別。有時假托人類（如富愚人），有時假托人類以外的生物（如狐虎）或無生物（如土偶）。若是假托人類以外的生物或無生物，那故事裏面一定同時含有兩種比擬的成分，就是一定是用擬人的手段來寄托擬物的意思，如『狐假虎威』一例，便是外表是使狐虎做人的言動，是擬人，而內裏卻把狐虎來比擬人類，是擬物。其餘一切同類的例，也都如此。

三　示現

示現是把實際上不見不聞的事物，說得如見如聞的辭格。所謂不見不聞，或者原本早已過去，或者還在未來，或者不過是說者想像裏的景象，而說者因爲當時的意象極強，並不計較這等實際間隔，也許雖然計及仍然不願受它拘束，於是實際上並非身經親歷的，也就說得好像身經親歷的一般，而說話裏，便有我們稱爲示現這一種超絕時地超絕實在的非常辭格。

示現可以大別爲追述的、豫言的、懸想的三類。追述的示現是把過去的事跡說得彷彿還在眼前一樣：

（一）六王畢，四海一，蜀山兀，阿房出。……長橋臥波，未雲何龍？複道行空，不霽何虹？高低冥迷，不知西東。歌臺響暖，春光融融。……明星熒熒，開粧鏡也。綠雲擾擾，梳曉鬟也。渭流漲膩，棄脂水也。烟斜霧橫，焚椒蘭也。……楚人一炬，可憐焦土。（杜牧阿房宮賦）

豫言的示現同追述的示現相反，是把未來的事情說得好像已經擺在眼前一樣：

（二）他敢不放我過去，你寬心！遠的破開步將鐵棒颩。近的順着手把戒刀釤。有小的，提起來將脚步攛；有大的，扳下來把髑髏砍。瞅一瞅，骨都都翻了海波；滉一滉，廝琅琅振動山崖。脚踏得赤力力地軸搖，手攀得忽剌剌天關撼。（西廂記寺警）

至於懸想的示現，則是把想像的事情說得眞在眼前一般，同時間的過去未來全然沒有關係：

（三）他此夕把雲路鳳車乘，銀漢鵲橋平。不甫能今夜成歡慶，枕邊忽聽曉雞鳴。卻早離愁情脈脈，別淚雨泠泠。五更長嘆息，則是一夜短恩情。（白樸梧桐雨雜劇第一折）

（四）今夜鄜州月，閨中只獨看，遙憐小兒女，未解憶長安。香霧雲鬟濕，清輝玉臂寒。何時倚虛幌，雙照淚痕乾？（杜甫月夜詩；時杜甫身在長安，家在鄜州。所謂閨中只獨看等等只是想像的話。）

（五）……駟玉虬以乘鷖兮，溘埃風余上征。朝發軔乎蒼梧兮，夕余至乎縣圃。欲少留此靈瑣兮，日忽忽其將暮。吾令羲和弭節兮，望崦嵫而勿迫。路漫漫其修遠兮，吾將上下而求索。飲余馬於咸池兮，總余轡乎扶桑。折若木以拂日兮，聊逍遙以相羊。前望舒使先驅兮，後飛廉使奔屬。鸞凰爲余先戒兮，雷師告余以未具。吾令鳳鳥飛騰兮，繼之以日夜。飄風屯其相離兮，率雲霓而來御。（屈原離騷）

此外像下面的幾個例也屬於這一類：

（六）李天王……出師來鬥，大聖也公然不懼。……就於洞門外列成陣勢。你看，這場混戰，好驚人也。寒風颯颯，鬼霧陰陰。那壁廂旌旗飛彩；這壁廂戈戟生輝。滾滾盔明，層層甲亮。滾滾盔明映太陽，如撞天的銀磬；層層甲亮砌巖崖，似壓地的冰山。（西遊記第五回）

（七）……順澗爬山，直至源流之處，乃是一股瀑布飛泉。衆猴拍手稱揚道，『好水，好水！那一個有本事的，鑽進去尋個源頭出來，不傷身體者，我等即拜他爲王。』連呼了三聲，忽見叢雜中跑出一個石猴，高叫道，『我進去！我進去！』好猴！你看他瞑目蹲身，將身一縱，便跳入瀑布泉中。（西遊記第一回）

還有用斷定式來表示推定的，也屬於這一類：

（八）今王棄忠信之言，以順敵人之欲，臣必見越之破吳，豕鹿游於姑胥之臺，荊榛蔓於宮闕。（吳越春秋九子胥語）

（九）暗想那織女分，牛郎命，雖不老，是長生。他阻隔銀河信杳冥，經年度歲成孤另。你試向

天宮打聽，他決害了些相思病。（白樸梧桐雨雜劇第一折）

四　呼告

話中撇了對話的聽者或讀者，突然直呼話中的人或物來說話的，名叫呼告辭。呼告也同比擬和示現一樣發生在情感急劇處，而且常常帶有比擬或示現的性質。如有必要，不妨隨它帶有的性質分爲比擬呼告和示現呼告兩類。

甲　比擬呼告

（一）寶玉掄着釣竿等了半天，那釣絲兒動也不動。剛有一個魚兒在水邊吐沫，寶玉把竿子一幌，又嚇走了。急得寶玉道，『我最是個性兒急的人，他偏性兒慢，這可怎麼樣呢？好魚兒！快來罷！你也成全成全我呢！』說得探春、岫烟、李紋、李綺四人都笑了。（紅樓夢第八十一回）

（二）寶玉忙忙來至怡紅院中，向襲人、麝月、晴雯笑道，『你們還不快着看去！誰知寶姐姐的親哥哥是那個樣子，他這叔伯兄弟形容擧止，另是個樣子，倒像是寶姐姐的同胞兄弟似的！更奇在你們成日家只說寶姐姐是絕色的人物，你們如今瞧見他這妹子（寶琴），還有大嫂子的兩個妹子（李紋、李綺），我竟形容不出來了。老天！老天！你有多少精華靈秀，生出這些人上之人來。……』（紅樓夢第四十九回）

（三）碩鼠，碩鼠，無食我黍！三歲貫女，莫我肯顧。逝將去汝，適彼樂土！樂土樂土，爰得我所！（詩衞風碩鼠篇）

（四）東方半明大星沒，獨有太白配殘月。嗟爾殘月勿相疑，同光共影須臾期！殘月暉暉，太白睒睒，雞三號，更五點。（韓愈古詩東方半明）

乙　示現呼告

（五）知客引了智深，直到方丈，解開包裹，取出書來，拿在手裏。……清長老讀罷來書……喚集兩班許多職事僧人，盡到方丈，乃云：『汝等衆僧在此，你看我師兄智眞禪師好沒分曉！這個來的僧人，原來是經略府軍官。原爲打死了人，落髮爲僧。二次在彼鬧了僧堂，因此難安他。你那里安他不得，卻來推與我！待要不收留他，師兄如此千萬囑咐，不可推故；待要着他在這里，倘或亂了清規，如何使得？』（你指不在眼前的智眞）（水滸第五回）

（六）梁中書……問『楊提轄何在？』衆人告道，『不可說！這人是個大膽忘恩的賊！……和七個賊人通同，……押生辰綱財寶并行李盡裝載車上將去了。……』梁中書聽了大驚，罵道，『這賊配軍！你是犯罪的囚徒，我一力抬舉你成人，怎敢做這等不仁忘恩的事！我若拿住他時，碎屍萬段！』（你指不在眼前的楊志）（水滸第十六回）

五　鋪張

說話上張皇鋪飾過於客觀的事實處，名叫鋪張辭。說話上所以有這種鋪張辭，大抵由於說者當時，重在主觀情意的暢發，不重在客觀事實的記錄。我們主觀的情意，每當感動深切時，往往以一當十，不能適合客觀的事實。所以見一美人，可以有

增之一分則太長，減之一分則太短。著粉則太白，施朱則太赤（宋玉登徒子好色賦）

之感；說一武士也可以有

力拔山兮氣蓋世（項羽垓下歌）

的話。所謂鋪張，便是由於這等深切的感動而生。

知道鋪張辭的作用，在乎抒描深切的感動，我們賞鑑抒描感動的小說詩歌等類文辭時，遇有此種辭格，就當原情逆意，還它一個本來面目。好像孟軻說的，『說詩者，不以文害辭，不以辭害志，以意逆志，是為得之。如以辭而已矣，雲漢之詩曰「周餘黎民，靡有孑遺。」信斯言也，是周無遺民也』（萬章篇上），這纔可算是眞能領略鋪張辭的眞意。倘如對於杜甫的這兩句詩：

霜皮溜雨四十圍，黛色參天二千尺。（古柏行）

沈括（存中）一定要說它『四十圍乃是徑七尺，無乃太細長乎？』（夢溪筆談二十三譏謔門）；黃朝英又一定要為杜甫辯護，說『存中性機警，善九章算術，獨於此為誤何也？古制以圍三徑一，四十圍卽百二十尺。圍有百二十尺，卽徑四十尺矣，安得云七尺也？若以人兩手大指相合為一圍，則是一小尺，卽徑一丈三尺三寸，又安得云七尺也？武侯廟古柏，當從古制為定。則徑四十尺，其長二千尺宜矣，豈得以細長譏之乎？』（漁隱叢話前集卷八引緗素雜記，今本緗素雜記無此條。）那便犯了照字直解的錯誤，我們卽使可以原諒他們的算法上的錯誤，也不能不埋怨他們的兩盤算盤聲，把我們鋪張辭的眞聲音掩蓋了。

鋪張辭可以分作兩類：（一）是普通的，可以稱為普通鋪張辭；（二）是單單關於事象先後的，可以稱爲超前鋪張辭。普通鋪張辭的用處並不限於一面，古來注意它、論述它的也比較多，如所謂『增語』及『增文』（見王充論衡卷七八語增、儒增、藝增等篇），所謂『夸飾』（劉勰文心雕龍卷八夸飾篇），所謂『激昂之言』（漁隱叢話前集卷八引詩眼），都是專論這一類。它在實際上是比較的普通的，所以我們就稱爲普通鋪張辭。至於超前鋪張辭，則是常有將實際上後起的現象說成在先呈象之前出現（至少說成與先呈的現象同時並現）的傾向的，就是常有落後者反而超越在前的特點的，因此我們便稱它爲超前鋪張辭。

一　普通鋪張辭

（一）明日一早定要回家去了。雖然住了兩三天，日子卻不多，把古往今來，沒見過的，沒喫過的，沒聽過的，都經驗了。（紅樓夢第四十二回）

（二）嚴監生正在大廳陪着客喫酒，奶媽慌忙走了出來說道，『奶奶斷了氣了！』嚴監生哭着走了進去，只見趙氏扶着牀沿，一頭撞去，已經哭死了。衆人且扶着趙氏灌開水，撬開牙齒，灌了下去。灌醒了時，披頭散髮，滿地打滾，哭得天昏地暗，連嚴監生也無可奈何。（儒林外史第五回）

（三）錦江春色來天地，玉壘浮雲變古今。（杜甫登樓詩）

（四）吳楚東南坼，乾坤日夜浮。（杜甫登岳陽樓詩；坼，讀如策，裂也。）

（五）白髮三千丈，緣愁似個長。（李白秋浦歌）

（六）一風三日吹倒山，白浪高於瓦官閣。（李白橫江詞六首之一；瓦官閣在瓦官寺，古碑云：

昔有僧……以瓦棺葬於此，……寺中有閣，高三十五丈。）

（七）誰謂河廣？曾不容舠。（詩衞風河廣篇；舠音刀，小船形似刀者。）

（八）千祿百福，子孫千億。（詩大雅假樂篇）

（九）湯湯洪水方割，蕩蕩懷山襄陵，浩浩滔天。（書堯典篇；湯音傷，湯湯流貌；懷，包也；襄，上也。）

（十）前徒倒戈攻於後以北，血流漂杵。（書武城篇）

就上舉幾個例看來，如例一、例五、例七、例八、例九之類，我們或者可以說它是數量上的鋪張，如例二、例三、例四之類，我們或者可以說它是性狀上的鋪張，——總之用處並不限於什麼一面。

二　超前鋪張辭

（十一）雨村、士隱二人歸坐，先是款酌慢飲，漸次談至興濃，不覺飛觥獻斝起來。當時街坊上家家簫管，戶戶笙歌，當頭一輪明月，飛彩凝暉，二人愈添豪興，酒到杯乾。（紅樓夢第一回）

（十二）喫過了茶，擺兩張桌子杯箸，……隨即每桌擺上八九碗，……叫一聲『請』，一齊舉箸，卻如風捲殘雲一般，早去了一半。（儒林外史第二回）

（十三）寶玉道，『這條路是往哪里去的？』焙茗道，『這是出北門的大道。出去了，冷清清沒有可頑的。』寶玉聽說，點頭道，『正要冷清清的地方好。』說着越發加上兩鞭，那馬早已轉了兩個彎子，出了城門。（紅樓夢第四十三回）

（十四）愁腸已斷無由醉，酒未到，先成淚。（范仲淹御街行詞）

（十五）請字兒未曾出聲，去字兒連忙答應，早飛去鶯鶯跟前，姐姐呼之，諾諾連聲。（西廂記請宴）

（十六）武王克殷反商，未及下車而封黃帝之後於薊，封帝堯之後於祝，封帝舜之後於陳。（禮記樂記篇，『反』當爲『及』之誤。）

就上舉幾個例看來，凡是後起的現象，在這類鋪張辭裏都有一個超前的傾向，輕則如例十一，將後起的現象『杯乾』說成與先呈的現象『酒到』同時，重則如例十二以下諸例，將後起的現象說成在先呈的現象之前，所以我們把它叫做超前鋪張。超前鋪張，專用在記載連起的兩件事情，我們要刻意形容它『說時遲，那時快』的時候。

古來論鋪張辭最周到的，據我所知，要算汪中爲第一。他說：

禮記雜記：『晏平仲祀其先人，豚肩不揜豆。』豚實於俎，不實於豆。豆徑尺，併豚兩肩，無容不揜。此言乎其儉也。樂記：武王克商，未及下車，而封黃帝、堯、舜之後。大封必於廟，因祭策命，不可於車上行之。此言乎以是爲先務也。詩：『嵩高維嶽，峻極於天。』此言乎其高也。此辭之形容者也。……辭不過其意則不鬯，是以有形容焉。（述學釋三九中；他的所謂形容就是我們所謂鋪張。）

短短的一段文字，居然把兩種的鋪張辭都論到了。

附記——

歷來講鋪張辭的常例有許多限制，其中最可取的有兩條：（一）主觀方面須出於情意之自然的流露；如古文苑裏名爲宋玉作的大言賦、小言賦，完全出於造作，可說毫無意義。（二）客觀方面須不致誤爲事實，如『白髮三千丈』，決不致誤認爲事實，倘不說『三千丈』而說『三尺』，那便容易使人誤認爲事實。如被誤認爲事實，那便不是修辭上的鋪張，只是實際上的說謊。

六 倒反

說者口頭的意思和心裏的意思完全相反的，名叫倒反辭。倒反辭可以分作兩類：或因情深難言，或因嫌忌怕說，便將正意用了倒頭的語言來表現，但又別無嘲弄諷刺等等意思包含在內的，是第一類，我們可以稱爲倒辭。例如：

（一）你借與我半間兒客舍僧房，與我那可憎才居止處門兒相向。（『可憎』是愛極的倒辭）（西廂記借廂）

（二）一席話說的倪繼祖一言不發，惟有低頭哭泣。李氏心下爲難，猛然想起一計來，須如此如此，這冤家方能回去。想罷說道，『孩兒不要啼哭。我有三件，你要依從，諸事辦妥，爲娘的必隨你去如何？』倪繼祖連忙問道，『那三件？請母親說明。』（這『冤家』就是指孩兒）（三俠五義第七十二回）

第二類是不止語意相反，而且含有嘲弄譏刺等意思的，我們稱爲反語。例如：

（三）日前掐死了一個丫鬟，尙未結案，今日又殺了一個家人。所有這些喜慶事情，全出在尊府。（三俠五義第三十七回）

(四)孫定爲人最鯁直,……只要週全人,……轉轉宛宛,在府上說知就裏,稟道,『此事果是屈了林冲,只可週全他。』府尹道,『他做下這般罪,高太尉批仰定罪,定要問他「手執利刃,故入節堂,殺害本官」,怎週全得他?』孫定道,『這南衙開封府不是朝廷的,是高太尉家的!』(水滸第七回)

(五)楚莊王之時,有所愛馬,衣以文繡,置之華屋之下,席以露牀,啗以棗脯。馬病肥死。使羣臣喪之,欲以棺槨大夫禮葬之。左右爭之,以爲不可。王下令曰,『有敢以馬諫者,罪至死!』優孟聞之,入殿門,仰天大哭。王驚而問其故。優孟曰,『馬者,王之所愛也。以楚國堂堂之大,何求不得?而以大夫禮葬之?薄!請以人君禮葬之!』(史記滑稽傳)

(六)莊宗好畋獵,獵於中牟,踐民田。中牟縣令,當馬切諫爲民請。莊宗怒,叱縣令去,將殺之。伶人敬新磨知其不可。乃率諸伶走追縣令,擒至馬前,責之曰,『汝爲縣令,獨不知我天子好獵耶?奈何縱民稼穡以供稅賦,何不飢汝縣民而空此地,以備吾天子之馳騁?汝罪當死!』因前請亟行刑。諸伶共唱和之。莊宗大笑。縣令乃得免去。(五代史伶官傳)

(七)蕭俛段文昌議銷兵之法,每歲百人之中,限八人逃死。——笠翁曰:古來銷兵之法,未有善於蕭俛段文昌之議者也。古人縱馬華山,放牛桃林,賣劍買牛,賣刀買犢,法雖善矣,而於銷兵二字終無實際。何也?以有縱之放之賣之之人,卽有收之獲之買之之人,一旦有事,則取之如寄。是但有銷兵之名,而未有銷兵之實也。不若蕭段所立之法,限以逃死。逃則去而不返,死則絕而弗生;是以破釜焚舟之計,而倒用之者也。以此銷兵,始爲刈草除根之法。但須再立二法以佐之。一曰，兵士有病不許服藥。二曰，盜賊有警不得捕斷。如是，則兵有所歸而逃者衆，病無所救而死者繁矣。不然，死生有數，焉能限以必死；歸棲無地，焉能責其必逃乎？（李漁論唐之再失河朔不能復取）

反語是倒反辭的根幹，在文章和說話中都比較地用得多而且容易用得有味。

反語有時利用成語來反用，如袁褧楓窗小牘（卷上）載『宣和中有反語云：寇萊公——知人則哲；王子明——將順其美；包孝肅——飲人以和；王介甫——不言所利』，便是例。

七　婉曲

說話時遇有傷感惹厭的地方，就不直白本意，只用委曲含蓄的話來烘托暗示的，名叫婉曲辭。構成這個辭格，約有兩種主要方法。第一是不說本事，單將餘事來烘托本事。例如：

（一）新來瘦，非關病酒，不是悲秋。（李清照鳳凰臺上憶吹簫詞）

要說的明是相思的苦，卻不直說。又如：

（二）江上荒城猿鳥悲，隔江便是屈原祠。一千五百年間事，只有灘聲似舊時。（陸游楚城詩）

要說的也明明是那些不似舊時的景物，卻也不明說，便是兩個適例。司馬光迂叟詩話說，『古人爲詩，貴於意在言外，使人思而得之，近世詩人惟杜子美最得詩人之體。如〈春望〉，「國破山河在，城春草木深。感時花濺淚，恨別鳥驚心。」「山河在」，明無餘物矣。「草木深」，明無人矣。花鳥，平時可娛之物；見之而泣，聞之而恐，則時可知矣。他皆類此，不可遍舉。』那便是論這一類的婉曲辭。

第二類是說到本事的時候，只用隱約閃爍的話來示意。例如：

（三）三月，宋華耦來盟。公與之宴。辭曰，『君之先臣督，得罪於宋殤公，名在諸侯之策。臣承其祀，其敢辱君？請承命於亞旅。』魯人以爲敏。（左傳文公十五年）

宋華督弒殤公，在桓公二年，這里只說『得罪』。又華耦『無故揚其先祖之罪』，是不敏，而文中只說『魯（鈍的）人以爲敏』。都是只用隱約閃爍的話透露本意的婉曲辭。又如：

（四）孟武伯問：子路仁乎？子曰，『不知也。』

也只用閃爍的話表示子路未見得仁。又如：

（五）其後人有上書告勃欲反，下廷尉，逮捕勃治之。勃恐，不知置辭，吏稍侵辱之。勃以千金與獄吏，獄吏乃書牘背示之曰：以公主爲證。……勃既出，曰，『吾嘗將百萬軍，然安知獄吏之貴乎？』（史記絳侯周勃世家）

也只用隱約的話顯示獄吏的作威作福。汪中述學釋三九中篇說『春秋傳（閔公二年）「衛懿公好鶴，鶴有乘軒者」。鶴無樂乎軒，好鶴者不求其行遠；謂以卿之秩寵之，以卿之祿食之也，故曰「鶴實有祿位」。然不云視卿，而云乘軒，此辭之曲也。……周人尚文，君子之於言不徑而致也，是以有曲焉。』那便是說這類婉曲辭的用法。

此外還有一類上下其辭、游移其辭來示意的方法，如要說『壞的』，只說『不是頂好的』，要說『該去的』只說『最好還是去』之類也是這一類的措辭法。但這類措辭法現在文字上還是不常見，現在姑且不舉例。

八 諱飾

說話時遇有犯忌觸諱的事物，便不直說該事該物，卻用旁的話來裝飾美化的，叫做諱飾辭格。

諱飾有公用的，有獨用的。明陸容菽園雜記（一）說：『民間俗諱，各處有之，而吳中爲甚。如舟行諱住諱翻，以箸爲快兒，幡布爲抹布；諱離散，以梨爲圓果，傘爲豎笠；諱狼籍，以榔槌爲興哥；諱惱躁，以謝竈爲謝歡喜。』所謂俗諱，便是公用的諱飾。公用的諱飾也不免隨時隨地有些不同。如俞樾茶香室續鈔（七）說：『快兒抹布之稱，至今猶然，餘則無聞矣』，便是隨時不同的例。如北京人諱言鷄卵，把鷄卵化成了松花、流黃等各式不同的名目，而福建人卻諱言茄，把茄說成了紫菜（見林紓畏盧瑣記），便又是隨地不同的例。

獨用的諱飾，大概沒有一定，儘隨主旨情境而變。如春秋僖公二十八年：

天王狩於河陽。

左傳云：『仲尼曰：以臣召君，不可以訓。故書曰：狩。』這是爲維持所謂大義而諱的。如晉書王衍傳：

衍口未嘗言錢。婦令婢以錢繞牀下。衍晨起，不得出。呼婢曰：『舉卻阿堵物！』

『阿堵』猶言『這個』，這里用做諱飾語。這是爲貫澈主張而諱的。如戰國策趙策四：

趙太后新用事，秦急攻之，趙氏求救於齊。齊曰，『必以長安君爲質，兵乃出。』太后不肯。大臣強諫。太后明謂左右：『有復言令長安君爲質者，老婦必唾其面！』左師觸讋願見太后。太后盛氣而揖之。入而徐趨，至而自謝，……太后之色少解。左師公曰，『老臣賤息舒祺，最少，不肖，而臣衰，竊愛憐之；願令得補黑衣之數，以衞王宮。沒死以聞。』太后曰，『敬諾。年幾何矣？』對曰，『十五歲耳。雖少，願及未塡溝壑而託之。』太后曰，『丈夫亦愛憐少子乎？』對曰，『甚於婦人。』太后笑曰，『婦人異甚？』對曰，『老臣竊以爲媼之愛燕后，賢於長安君。』曰，『君過矣，不若長安君之甚。』左師公曰，『父母之愛子，則爲之計深遠。媼之送燕后也，持其踵，爲之泣，念悲其遠也。亦哀之矣。已行，非弗思也。祭祀必祝之。祝曰：必勿使反。豈非計久長有子孫相繼爲王也哉？』太后曰，『然。』左師公曰，『今三世以前，至於趙之爲趙，趙主之子孫侯者，其繼有在者乎？』曰，『無有。』曰，『微獨趙。諸侯有在者乎？』曰，『老婦不聞也。』『此其近者禍及身，遠者及其子孫。豈人主之子孫，則必不善哉？位尊而無功，奉厚而無勞，而挾重器多也。今媼尊長安君之位，而封之以膏腴之地，多予之重器，而不及今令有功於國；一旦山陵崩，長安君何以自託於趙？老臣以媼爲長安君計短也，故以爲其愛不若燕后。』

太后曰，『諾，恣君之所使之。』

一樣的諱言死，卻把自己的死說做『塡溝壑』，太后的死說做『山陵崩』，便又是爲應付情境，顧念對方的情感而諱的。 諱飾的用途大都就在顧念對話者乃至關涉者的情感，竭力避免犯忌觸諱的話頭，省得別人聽了不快。 賈誼陳政事疏有云：『古者，大臣有坐不廉而廢者，不謂不廉，曰簠簋不飾；坐汙穢淫亂，男女無別者，不曰汙穢，曰帷薄不修；坐罷軟不勝任者，不曰罷軟，曰下官不職。故貴大臣定有其辠矣，猶未斥然正以呼之也，尙遷就而爲之諱也。』所謂遷就便是這一種辭法的綱要。

口頭語上的諱飾多半是用渾漠的詞語代替原有的詞語，與前面所引『阿堵』的用法相彷。現在舉幾個例於下：

（一）鳳姐兒低了半日頭，說道，『這個就沒有法兒了。你也該將一應的後事給他料理料理；沖一沖也好。』尤氏道，『我也暗暗地叫人預備了。——就是那件東西，不得好木頭，且慢慢地辦着罷。』（紅樓夢第十一回）

所謂『那件東西』便是棺材，卻不明說棺材。

（二）王鬍子私向鮑廷璽道，『你的話，也該發動了。我在這里算着，那話已有個完的意思；若再遇個人來求些去，你就沒帳了。你今晚開口。』（儒林外史第三十二回）

所謂『那話』便是錢，卻不明說錢。

（三）王仁笑道，『你令兄平日常說同湯公相與的，怎的這一點事就嚇走了。』嚴致和道，『這話也說不盡了。只是家兄而今兩脚站開，差人卻在我這里吵鬧要人，我怎能丟了家裏的事，出去尋他？——也不肯回來。』（儒林外史第五回）

『兩脚站開』便是說逃走，卻不明說逃走，這些都是特用渾漠的話來暗示本意。

附記——

諱飾也有人稱爲『曲語』。章譯師辟伯情爲語變之原論有一段論曲語，頗有幾句可供參考，今節錄於下：『曲語者，語之刻劃本事，不甚明亮，而聞之亦輒了了，兩情共喩者也。如受胎，人謂與性慾有連，未便揭言。而舉國不講生子，在勢胡可？遂乃迴環其辭，曰那件事，曰不能動矣。夫婉言比於直言，究勝幾許，殆不能無疑。以人之引以爲嫌者，非字也，而字中之義蘊也。今日不能動矣，措辭不同，指事猶是，他方聞而不懌，將一與逕說受胎無異。雖然，人終採暗語而避明言。世儘有人，聞受胎而怒，謂是狎媟；聞那件事而喜，以爲雅馴。考其心境，則見人抵面敷辭，不敢斥言某物，而必委婉曲折以赴，樂其尊己，遂不可支也。同時言者利以自解，謂吾言誠指若箇，而勢迫於此，大非得已，唐突之咎，所不敢辭。……則曲語之設，正爲彼此互諒容頭過身之地者矣。間嘗聞人陳說，一至艱於發口之字，輒生小阻，或以極低之音，囫圇而過。此亦藉以自表，謂若而字者，於禮未當，吾非不曉。用心與曲語正同。」

九　設問

胸中早有定見，話中故意設問的，名叫設問。這種設問，共分兩類：（一）是爲提醒下文而問的，我們稱爲提問，這種設問必定有答案在它下文；（二）是爲激發本意而問的，我們稱爲激問，這種設問必定有答案在它反面。

一、提問：

（一）我且問你：這七人端的是誰？不是別人，原來正是晁蓋、吳用、公孫勝、劉唐、三阮（阮小二、阮小五、阮小七）這七個。（水滸第十五回）

（二）人羣之初級也，有部民，而無國民。由部民而進爲國民，此文野所由分也。部民與國民之異安在？曰羣族而居，自成風俗者，謂之部民，有國家思想，能自布政治者，謂之國民。天下未有無國民而可以成國者也。

國家思想者何？一曰對於一身而知有國家，二曰對於朝廷而知有國家，三曰對於外族而知有國家，四曰對於世界而知有國家。

所謂對於一身而知有國家者，何也？人之所以貴於他物者，以其能羣耳。使以一身孑然孤立於大地，則飛不如禽，走不如獸，人類之剪滅，亦既久矣！（梁啓超論國家思想）

（三）元年者何？君之始年也。春者何？歲之始也。王者孰謂？謂文王也。曷爲先言王而後言正月？王正月也。何言乎王正月？大一統也。公何以不言卽位？成公意也。何成乎公之意？公將平國而反之桓。曷爲反之桓？桓幼而貴，隱長而卑，其爲尊卑也微，國人莫知；隱長又賢，諸大夫扳隱而立之。隱於是焉而辭立，則未知桓之將必得立也。且如桓立，則恐諸大夫之不能相幼君也。故凡隱之立，爲桓立也。隱長又賢，何以不宜立？立適以長不以賢，立子以貴不以長。桓何以貴？母貴也。母貴則子何以貴？子以母貴，母以子貴。（春秋隱公元年春王正月公羊傳）

（四）惡乎危？於忿懥。惡乎失道？於嗜欲。惡乎相忘？於富貴。（杖銘見大戴禮記卷六武王踐阼篇）

（五）客從遠方來，遺我雙鯉魚。呼童烹鯉魚，中有尺素書。長跪讀素書，書中竟何如？上有加餐食，下有長相憶。（無名氏飲馬長城窟行）

（六）步出齊城門，遙望蕩陰里。里中有三墳，纍纍正相似。問是誰家墓？田疆古冶子。力能排南山，文能絕地紀。一朝被讒言，二桃殺三士。誰能爲此謀？國相齊晏子。（諸葛亮梁甫吟）

二、激問：

（七）舊生活的人，是一部份不作工又不求學的，終日把喫著嫖賭作消遣；物質上一點也沒有生產，精神上一點也沒有長進。又有一部份是整日作苦工，沒有機會求學，身體上疲乏得了不得；所作的工，是事倍功半，精神上得過且過。豈不全是枯燥的嗎？不作工的人，體力是逐漸衰退了；求學的人，心力又逐漸委靡了；一代傳一代，更衰退，更委靡，豈不全是退化的嗎？（蔡元培我的新生活觀）

（八）登彼西山兮，采其薇矣！以暴易暴兮，不知其非矣！神農虞夏忽焉沒兮，我安適歸矣？吁嗟徂兮，命之衰矣！（伯夷叔齊采薇歌；史記伯夷傳注：西山即首陽山。）

（九）誰能思不歌？誰能飢不食？日冥當戶倚，惆悵底不憶！（子夜歌四十二首之二十三）

修辭學上通常只承認這第二類激問爲正式的設問。這類的設問，常以否定的形式表示肯定的意思，肯定的形式表示否定的意思。在所有的辭格中也是一種奇特的辭法，除了知切情急的特殊情形外，總是不用它。

十　感歎

深沉的思想或猛烈的感情，用一種呼聲或類乎呼聲的詞句表出的，便是感歎辭。感歎辭約有三類形式：（一）添加『呵』『呀』『嗚呼』『噫嘻』『哉』『夫』等感歎詞於直示句的前後；（二）寓感歎的意思於設問的句式；（三）寓感歎的意思於倒裝的句法。內中（二）（三）兩類，各與設問倒裝等格有關係，最純粹的，只有（一）這一類。我們因此可說（一）這一類是感歎辭中最主要的形式。

（一）噫吁戲，危乎高哉！

蜀道之難，難於上青天！（李白蜀道難）

（二）陟彼北芒兮，噫！

顧瞻帝京兮，噫！

宮闕崔巍兮，噫！

民之劬勞兮，噫！

遼遼未央兮，噫！（梁鴻五噫歌）

以上是第一類的例。

（三）磚兒何厚，瓦兒何薄！（水滸第六十一回）

（四）一夜春雨

綠了多少田疇；

一夜秋霜，

黃了多少林壑：

如此神奇！

怎不叫畫師們慚愧！（舊夢舊夢七十六）

以上是第二類的例。

（五）鄭成公疾，子駟請息肩於晉，公曰，『楚君以鄭故，親集矢於其目。非異人任，寡人也。若背之，是棄力與言，其誰暱我？免寡人，唯二三子！』（左傳襄公二年）

（六）不做周方，埋怨煞你個法聰和尚！（西廂記借廂）

以上是第三類的例。就上頭所舉的三類例看來，就可知道第一類是最純粹最普通的感歎辭。此類感歎辭，在文學未經改革以前，往往被人利用作爲文字技窮的救濟方法，使閱讀者感到無病呻吟的不快。所以那時馬建忠在論文法的書上也不禁發起長吁短歎的議論來說道：『今之爲文者遇有結束、提開、過脈處，無可轉者，輒用歎字，別開議論，故一篇之中往往不一用者，而氣亦因以少弱焉。噫！』（見馬氏文通卷九）我們曾見宋人李耆卿在所著的文章精義中說『歐陽永叔五代史，贊首必有嗚呼二字，固是世變可歎，亦是此老文字遇感歎處便精神！』大約馬氏也和我們一樣的想不通，爲什麼歎詞可以任意用作起承轉結之用，爲什麼起首必有嗚呼二字便算是文字有精神！

第七篇　積極修辭三

丙類　詞語上的辭格

一　析字

字有形、音、義三方面，把所用的字析爲形、音、義三方面，看別的字有一面同它相合相連，隨卽借來代替或卽推衍上去的，名叫析字辭。顧炎武日知錄卷二十七說：

> 太白詩有古朗月行，又云『今人不見古時月』〔把酒問月〕。王伯厚引抱朴子曰，『俗士多云，今日不及古日之熱，今月不及古月之朗』〔困學紀聞卷十八；抱朴子外篇卷三尙博篇〕，是則然矣。而又云『狂風吹古月，竊弄章華臺』〔司馬將軍歌〕，又曰『海動山傾古月摧』〔永王東巡歌〕。所謂『古月』則明是『胡』字，不得曲爲之解也。……或曰：析字之體，只當著之讖文，豈可以入詩乎？『槀砧今何在？山上復有山……』古詩固有之矣。

按炎武引來證明詩中也用析字辭的這首古詩『槀砧今何在？山上復有山。何當大刀頭？破鏡飛上天。』粗看頗不易解，須有解釋。宋王觀國在學林新編卷八解釋說：『槀砧者，鈇也；槀砧今何在者，問夫何在也。山上復有山者，出也；言夫已出也。大刀頭者，鐶也；何當大刀頭者，何日當還也。破鏡者，月半也；破鏡飛上天者，言月半當還也。』據此，則『槀砧』兩字共有兩重曲折：（一）先衍義爲『鈇』；

(二)再依『鈇』諧音作『夫』。『山上復有山』是『出』字的化形。『大刀頭』也有兩重曲折：(一)先衍義作『鐶』；(二)又從『鐶』諧音作『還』。『破鏡』是月半的衍義。又所引太白詩的後二例，如依炎武解釋，『古月』兩字也是『胡』字的化形。總數所有析字修辭的基本方法，共有三類：(一)化形；(二)諧音；(三)衍義。其餘都是這三類基本方法(或參用他種辭格)複合所成的現象。今分別說明於下：

1. 化形析字

變化字形的析字約可分作三式：(甲)是離合字形的，可以稱爲離合；(乙)是增損字形的，可以稱爲增損；(丙)是單單假借字形的，可以稱爲借形。三式之中，以離合爲最常見。

(甲)離合

(一)權翼夜私遣壯丁邀垂於河橋南空舍中，擊之，垂是夜夢行路，路窮，顧見孔子墓傍穴有八，覺而惡之，召占夢者占之，曰：行路窮，道盡不可行也，孔子名丘，八以配丘，此兵字也，路必有伏。(十六國春秋慕容垂傳)

(二)張俊民道，『翳子老官，這事憑你作法便了。做成了，少不得言身寸。』王翳子道，『我那個要你謝……。』(儒林外史三十二回)

這種離合字形的措辭，都是把一個字的字形拆開來用，如『兵』字拆開是『丘』『八』兩個字，所以就借『丘』『八』兩個字來代一個『兵』字，『謝』字拆開是『言身寸』三個字，所以就借『言身寸』三個字來代一個『謝』字。

舊體詩中的離合體詩，有的也用這一式。如出名古怪的孔融郡姓名字詩，依宋葉夢得的解說，便是『魯國孔融文舉』這六個字的離合：

（三）漁父屈節，水潛匿方。——離魚字
與時進止，出寺弛張。——離日字 }合爲『魯』字。
呂公磯釣，闔口渭旁。——離口字
九域有聖，無土不王。——離或字 }合爲『國』字。
好是正直，女固子臧。——離子字
海外有截，隼逝鷹揚。——離乚字 }合爲『孔』字。
六翮將奮，羽儀未彰。——離鬲字
龍蛇之蟄，俾它可忘。——離虫字 }合爲『融』字。
玟璇隱曜，美玉韜光。——離『文』字。
無名無譽，放言深藏。——離與字
按轡安行，誰謂路長。——離才字 }合爲『舉』字。

（參用石林詩話卷中，及陔餘叢考卷二十二所引）

還有酒令、童謠之類，有時也用這一式。酒令如：

（四）〔令〕鉏麑觸槐，死作木邊之鬼。
〔答〕豫讓吞炭，終爲山下之灰。

（唐人酒令之一；見漁隱叢話前集卷二十一所引）

董謠如：

（五）千里草，何青青；十日卜，不得生。

（後漢書五行志；范曄按，『千里草爲董，十日卜爲卓。』）

此外如史書所載，稱劉爲卯金刀（見後漢書光武紀注），稱許爲言午（見三國志魏文帝紀注）稱王爲一士，稱張爲弓長（見宋書王景文傳），稱裴爲非衣（見唐書裴度傳）等，也是用這一式。

（乙）增損

（六）徐之才聰辯強識，有兼人之敏。尤好劇談謔語，公私言聚，多相嘲戲。嘲王昕姓云，『有言則訌，近犬便狂。加頸足而爲馬，施角尾而爲羊。』盧元明因戲之才云，『卿姓是未入人，名是字之誤。』卽答云，『卿姓在亡爲虐，在丘爲虛。生男則爲虜，養馬則爲驢。』（北齊書徐之才傳）

（七）紫芝道，『都已飲了，說笑話罷。設或是個老的，罰你一杯。』玉兒道，『就從我的姓上說罷。有一家姓王，兄弟八個，求人替起名字，並求替起綽號。所起名字，還要形象不離本姓。一日，有人替他起道：第一個，名喚王主，綽號叫做硬出頭的王大。第二個，名喚王玉，綽號叫做偷酒壺的王二。第三個，就叫王三，綽號叫做沒良心的王三。第四個，名叫王丰，綽號叫做扛鐵槍的王四。第五個，就叫王五，綽號叫做硬拐彎的王五。第六個，名喚王壬，綽號叫做歪腦袋的王六。第七個，名喚王毛，綽號叫做彎尾巴的王七。第八個，名喚王全，這個全字本歸入部，並

非人字，所以綽號叫做不成人的王八。』（鏡花緣八十六回）

以上所舉都是把一個字的字形略加增損來用，如王『主』、王『玉』、王『全』，是增形，王『三』是損形。『在亡爲虐，在丘爲虛』，是增損並用。

（丙）借形

（八）蘇城有南園北園二處，菜花黃時，苦無酒家小飲；攜盒而往，對花冷飲，殊無意味。或議就近覓飲者，或議看花歸飲者，終不如對花熱飲爲快。衆議未定。芸笑曰，『明日但各出杖頭錢，我自擔爐火來。』衆笑曰，『諾。』衆去，余問曰，『卿果自往乎？』芸曰，『非也。妾見市中賣餛飩者，其擔鍋竈無不備，盍雇之而往。妾先烹調端整，到彼處再一下鍋，茶酒兩便。』余曰，『酒菜固便矣，茶乏烹具。』芸曰，『攜一砂罐去，以鐵叉串罐柄，去其鍋，懸于行竈中，加柴火煎茶，不亦便乎？』……明日看花者至，余告以故，衆咸歎服。飯後同往，并帶蓆墊，至南園，擇柳陰下團坐。先烹茗，飲畢，然後暖酒烹餚。是日風和日麗，徧地黃金，青衫紅袖，越阡度陌，蝶蜂亂飛，令人不飲自醉。既而酒肴俱熟，坐地大嚼。擔者頗不俗，拉與同飲，遊人見之莫不羨爲奇想。杯盤狼藉，各已陶然，或坐或臥，或歌或嘯。紅日將頹，余思粥，擔者卽爲買米煮之，果腹而歸。芸問曰，『今日之遊樂乎？』衆曰，『非夫人之力不及此。』大笑而散。（浮生六記，閑情記趣）

以上所舉例中，『今日之遊樂乎』和『非夫人之力不及此』兩句，都係引用成句，前者出蘇軾後赤壁賦，後者出左傳僖公三十年晉文公語。但晉文公所謂『夫人』係指秦穆公，『夫』音『扶』；『夫人』

猶言『此人』，此處卻借作夫人太太的夫人，藉以應答芸夫人的引用問語。而其所以借用，全在此人夫人的『夫』字與太太夫人的『夫』字字形相同，所以是一種借形應境法。以下兩例，雖然略爲不同，也屬同類。

（九）陸通明世居洞庭。有吳某客於山，往來頗狎。一日，陸內人臨蓐，吳訊曰，『曾弄璋未？』陸曰，『昨暮生一女，已溺之矣。』吳嘲其諱曰，『先生極明，此事欠通了。』陸訝之。吳曰，『豈不聞溺愛者不明耶？』（褚人穫堅瓠四集三）

（十）有人將虞永興手寫尚書典錢。李尚書選曰，『經書那可典？』其人曰，『前已是堯典舜典。』（朱揆諧噱錄）

2.諧音析字

諧合字音的析字，也可分作三式：（甲）是單純諧音的，叫做借音；（乙）是利用反切上用做反切的兩音的，叫做切脚；（丙）是利用反切上順倒雙重反切的，叫做雙反。三式之中，也以借音爲最普通。

（甲）借音

（十一）季葦蕭笑說道，『你們在這里講鹽獃子的故事？我近日聽見說，揚州是六精。』辛東之道，『是五精罷了，哪里六精？』季葦蕭道，『是六精的很！我說與你聽：他轎裏是坐的債精；抬轎的是牛精；跟轎的是屁精；看門的是謊精；家裏藏着的是妖精：這是五精了。而今時派，這些鹽商頭上戴的是方巾，中間定是一個水晶結子；合起來是六精』。說罷，一齊笑了。（儒林

外史第二十八回）

這就因爲『精』和『晶』聲音諧合，便把『晶』也算作『精』，合着原有『五精』，稱作『六精』。

（十二）高祖從東垣還，過趙。貫高等乃壁人柏人（欲殺之）。上過欲宿，心動。問曰：縣名爲何？曰：柏人。——柏人者迫於人也。——不宿而去。

（十三）南京的風俗，但凡新媳婦進門，三天就要到廚下收拾一樣菜發個利市；這菜一定是魚，取『富貴有餘』的意思。（儒林外史第二十七回）

這是諧音析字之術數的應用的例子，與化形析字之術數的應用（卽所謂『測字』）一樣，都是來源很古，現今社會上也還有人迷信它。

那舊詩中一種對偶的方式，詩話裏稱它爲『借對』（嚴羽滄浪詩話）或『假對』（胡仔漁隱叢話所引）的，也是這一式。如下文所舉的兩個例便是：

（十四）廚人具鷄黍，稚子摘楊梅。（孟浩然裴司士見訪；借楊作羊，與鷄對。）

（十五）談笑有鴻儒，往來無白丁。（劉禹錫陋室銘；借鴻作紅，與白對。）

下列一例是利用借音，又利用成語來說笑話的，關於借音部分也可歸入這一式：

（十六）隋侯白，州舉秀才，至京畿，辯捷時莫與之比。嘗與僕射越國公楊素並馬言話。路傍有槐樹顦顇死，素乃曰，『侯秀才理道過人，能令此樹活否？』曰，『能。』素云，『何計得活？』曰，『取槐樹子於樹枝上懸著，卽當自活。』素云，『因何得活？』答曰，『可不聞論語云：子在，回何敢死？』素大笑。（太平廣記二百四十八引啓顏錄）

（乙）切脚

用這方式的語言以前稱爲『切脚語』（見洪邁容齋三筆）或『切脚字』（見俞文豹唾玉集），過去曾經流行，現今也還有些遺存，如叫孔叫做窟籠便是。容齋三筆說：

世人語音，有以切脚而稱者，亦間見之於書史中。如以蓬爲勃籠，槃爲勃闌，鐸爲突落，團爲突欒，鉦爲丁寧，頂爲滴顁，角爲矻落，蒲爲勃盧，精爲即零，螳爲突郎，旁爲步廊，茨爲蒺藜，圈爲屈攣，錮爲骨露，窠爲窟駝是也。

像下列兩例便是運用這一種辭法：

（十七）伯棼射王，汰輈及鼓跗，着于丁寧。（左傳宣公四年；杜注：丁寧，鉦也。）

（十八）正憂坐客寒無席，遺我新蒲入突欒。（王廷珪甯公端惠蒲團詩）

又下列一例也是這一類：

（十九）多九公道，『才女纔說學士大夫論及反切尚且瞪目無語，何況我們不過略知皮毛，豈敢亂談，貽笑大方。』紫衣女子聽了，望着紅衣女子輕輕笑道，『若以本題而論，豈非吳郡大老倚閭滿盈嗎？』紅衣女子點頭笑了一笑。唐敖聽了，甚覺不解。（鏡花緣第十七回）

所謂『吳郡大老倚閭滿盈』，便是『問道於盲』的切脚語。解見同書第十九回。

（丙）雙反

『以二字而切兩音』的雙反，以前也曾流行，據說現今廣西省的鬱林北流兩縣也還沒有一個人不會說，沒有一個人不能懂。雙反就是順倒雙重反切的簡稱。如：

（二十）先是文惠太子立樓館於鍾山下，號曰東田。東田，反語爲顚童也。武帝又於青溪立宮，號曰舊宮。反之窮廐也。至是鬱林果以輕狷而至於窮。（南史鬱林王紀）

（二十一）或言後主名叔寶，反語爲少福，亦敗亡之徵云。（南史陳後主紀）

就因爲『東田』順反，東田爲顚，倒反，田東爲童，又『舊宮』順反，舊宮爲窮，倒反，宮舊爲廐，又『叔寶』順反，叔寶爲少，倒反，寶叔爲福，所以有這等話。（詳見顧炎武音學五書音論下）

3. 衍義析字

衍繹字義的析字也可分作三式：（甲）是換話達意的，叫做代換；（乙）是隨語牽涉的，叫做牽附；（丙）是彎彎曲曲，演述得似乎有關連又似乎沒有關連，必須細細推究纔能明白的，叫做演化。

（甲）代換

這常發現在引用的文中，是利用同義異詞現象的一種措辭法。如史記引用書經，就常用這一式。現在節引一段來做例：

（二十二）曰若稽古帝堯，……克明俊德，以親九族，九族既睦，平章百姓，百姓昭明，協和萬邦。……允釐百工，庶績咸熙。帝曰：疇咨若時登庸？放齊曰：胤子朱啓明。帝曰：吁，嚚訟，可乎？（書經堯典）

帝堯者，……能明馴德，以親九族，九族既睦，便章百姓，百姓昭明，合和萬國。……信飭百官，衆功皆興。堯曰：誰可順此事？放齊曰：嗣子丹朱開明。堯曰：吁，頑凶，不用。（史記五帝本紀）

這是用平易的詞代換不平易的詞。但有些學做澀體的文章家卻用不平易的詞來代換平易的詞。那是一種怪現象。像下列兩例，便是譏笑那種怪現象的：

（二十三）宋人宋子京……與歐陽文忠並修唐史，往往以僻字更易舊文，文忠病之，而不敢言，乃書『宵寐匪禎，札闥洪庥』八字以戲之。宋不知其戲己，因問此二語出何書，當作何解。歐言：此卽公撰唐書法也。宵寐匪禎者，謂夜夢不祥也；札闥洪庥者，謂書門大吉也。宋不覺大笑。（涵芬樓文談五）

（二十四）虞子匡一日遞一詩示余曰，『請商之，何如？』余三誦而不知何題。虞曰，『吾效時人換字之法，戲改岳武穆送張紫崖北伐詩也。』其詩曰：『誓律飆雷速，神威震坎隅。遐征邈趙地，力戰越秦墟。驥蹂匈奴頂，戈殲韃靼軀。旋師謝彤闕，再造故皇都。』岳云：『號令風霆迅，天聲動北陬。長驅渡河洛，直擣向燕幽。馬蹀閼氏血，旗梟克汗頭。歸來報明主，恢復舊神州。』不過逐字換之。遂撫掌相笑。（郎瑛七修類藁四十九）

（乙）牽附

（二十五）寶玉道，『等我回去，問了是誰，教訓教訓他就好了。』黛玉道，『你的那些姑娘們，也該教訓教訓，——只是論理，我不該說。今兒得罪了我的事小，倘或明兒寶姑娘來，甚麼貝姑娘來，也得罪了，事情豈不大了？』（紅樓夢第二十八回）

寶姑娘是寶釵，貝姑娘並無此人，只因『寶』『貝』兩字意義相連，卽便推衍上去，以嘲笑寶玉平日寶愛寶釵，把寶釵當做『寶貝』。

（二十六）只這句話，又把伊尊翁的史學招出來了，便向兩個媳婦道，『你兩個須聽我說：凡是決大計，議大事，不可不師古，不可過泥古。你兩個切不可拘定了左傳上的「稟命則不威，專命則不孝」的話。那晉太子申生，原是處在一個家庭多故的時候，所以他那班臣子纔有這番議論，如今我家是個天理人情，何須顧慮及此？稟命是你們的禮，便專命也省我們的心。我合你們說句要言不煩的話，「閫以外將軍制之」，你們還有什麼爲難的不成？』他姊妹兩個，纔笑着答應下來。舅太太聽了半日，問着他姊妹道，『這個話，你們姊兒倆竟會明白了？難道這個左傳右傳的，也會轉轉清楚了麼？』（兒女英雄傳第三十三回）

這『右傳』也不是世上眞有的書，也不過因爲『左』『右』意義相連，上文曾說左傳，就此推演出來罷了。

（丙）演化

（二十七）開皇中，有人姓出名六斤欲參（楊）素，齎名紙至省門，遇（侯）白，請爲題其姓，乃書曰『六斤半。』名既入，素召其人，問曰，『卿姓六斤半？』答曰，『是出六斤。』曰，『何爲六斤半？』曰，『向請侯秀才題之，當是錯矣。』卽召白至，謂曰，『卿何爲錯題人姓名？』對云，『不錯。』素曰，『若不錯，何因姓出名六斤，請卿題之，乃言六斤半。』對曰，『白在省門，倉卒無處覓稱，既聞道是出六斤，斟酌只應是六斤半。』素大笑之。（太平廣記二百四十八引啓顏錄）

這種辭法以前稱爲『繆語』（見下文所引左傳杜註）。繆語就是文心雕龍諧讔篇說的『遯辭以隱意，譎譬以指事』的一種讔語。當初原是一種暗中通情的方法，必須說得對方懂，旁人不懂，纔算完全達到了目的。如下列兩例，便是如此的：

（二十八）楚子伐蕭，……申公巫臣曰，『師人多寒。』王巡三軍，拊而勉之。三軍之士，皆如挾纊。遂傅於蕭。還無社與司馬卯言，號申叔展。叔展曰，『有麥麴乎？』曰，『無。』『有山鞠窮乎？』曰，『無。』『河魚腹疾，奈何？』曰，『目於眢井而拯之。』（左傳宣公十二年）

（二十九）吳申叔儀乞糧於公孫有山氏，曰，『佩玉䍇兮，余無所繫之。旨酒一盛兮，余與褐之父睨之。』對曰，『粱則無矣，麤則有之。若登首山以呼曰，「庚癸乎！」則諾。』（左傳哀公十三年）

還有列女傳的仁智傳與辯通傳中也有例和這喻眢井以麥麴，隱穀水於庚癸的用法相像。

以上所舉都是單純的例。此外複雜的例：如俗稱『假』爲『西貝』，便是把『假』字先依諧音例看作『賈』字，再依化形例分爲『西貝』兩字而成；又如俗稱『豈有此理』爲『豈有此外』，便是先把『理』字依諧音例看作『裏』字，隨後又依倒反例（見前）把『裏』字化成『外』字而成：這些都是析字格複合體的活例。世說新語捷悟篇載：

魏武嘗過曹娥碑下。楊修從背上見題作『黃絹幼婦外孫虀臼』八字。魏武謂修曰，『解不？』答曰，『解。』魏武曰，『卿未可言，待我思之。』行三十里，魏武乃曰，『吾已得。』令修別記所知。修曰，『黃絹，色絲也，於字爲絕；幼婦，少女也，於字爲妙；外孫，女子也，於字爲好；虀臼，受辛也，於字爲辭；所謂「絕妙好辭」也。』魏武亦記之，與修同。乃歎曰，『我才不及卿，乃覺三十里。』

本例並見三國演義第七十一回，知道的人很多，可以說是析字格複合體的活例。其構成方法，都是重用化形衍義兩類基本方法：如『絕』先化形作『色絲』，再衍義作『黃絹』；『妙』先化形作『少女』，再衍義作『幼婦』。餘倣此。

附記——

析字是構成所謂廋辭的重要方法，廋辭一名，始見於國語；晉語（五）記范文子有一次退朝很晚，他的父親范武子問他『何暮也？』他說，『有秦客廋辭於朝；大夫莫之能對也，吾知三焉。』他的父親聽了大怒，說，『大夫非不能也，讓父兄也。爾童子而三掩人於朝，吾不在晉國，亡無日矣』，竟把他大打了一頓。卽此便是關於廋辭的最初記載。韋解：『廋，隱也；謂以隱伏譎詭之言問於朝也。』這條解釋就是說：廋辭便是隱語，便是隱伏譎詭的話。但秦客當時的話，已不可考，我們無從確知它的內容。只從後世修辭情形倒推起來，我們大致可以推定它不外乎析字。

這種廋辭，有時也稱隱語。如漢書東方朔傳郭舍人說，『臣願復問朔隱語，不知亦當榜。』又稱廋語。如宋孫覿詩：『廋語尙傳黃絹婦，多情好在紫髯翁。』現今許多人都把廋語隱語與所謂謎語混同。但是『謎也者，迴互其辭，使昏迷也』（見文心雕龍諧讔篇），重在鬥知，而廋語隱語卻重在鬥趣或暗示，中間略有分別；我們或許可以說謎語是從廋語『化』出來的，但不能把廋語謎語混看作爲一件東西。關於謎語，另有專書，這里不能涉及。

二　藏詞

要用的詞已見於習熟的成語，便把本詞藏了，單將成語的別一部分用在話中來替代本詞的，名叫藏詞。例如成語中有：

（一）兄弟見於　友于兄弟（書經君陳篇）

（二）孫字見於　貽厥孫謀（詩經文王有聲篇）

（三）黎民見於　周餘黎民（詩經雲漢篇）

（四）日月見於　日居月諸，胡迭而微。（詩經柏舟篇）

（五）禍福見於　禍兮福所倚，福兮禍所伏。（老子第五十章）

（六）三十見於　三十而立（論語爲政篇）

修辭的現象中就有：

（一）『友于』代『兄弟』——（例）一欣侍温顏，再喜見友于。（陶淵明庚子歲從都還詩）

（二）『貽厥』代『孫』——（例）漑孫藎早聰慧。漑每和御詩，上輒手詔戲漑曰，『得無貽厥之力乎？』（南史到漑傳）

（三）『周餘』代『黎民』——（例）惵惵周餘，竟沈淪於塗炭。（晉書六十四論贊）

（四）『居諸』代『日月』——（例）豈不念旦夕，爲爾惜居諸。（韓愈符讀書城南詩）

（五）『倚伏』代『禍福』——（例）鬼神只瞰高明室，倚伏不干棲隱家。（徐夤招隱詩）

（六）「而立」代「三十」——（例）侍者方當而立歲。（蘇軾詩）

此種藏詞尙多，不遑枚舉。如「弱冠」代「二十」（禮記：二十曰弱冠），「知命」代「五十」（論語：五十而知天命），「宴爾」代「新婚」（詩經：宴爾新婚），等皆是。

這里『友于』『貽厥』『周餘』『居諸』『倚伏』『而立』便都可以稱爲藏詞語。中間卻也略有分別：如『友于』『貽厥』『周餘』之類，本詞都在後半截，話中藏了這個後半截的，可以稱爲『歇後藏詞語』，就是前人說的『歇後語』；如『居諸』『倚伏』『而立』之類，本詞在前半截，話中藏了這個前半截的，依照前例可以稱爲『抛前藏詞語』，以前有人稱爲『藏頭語』。

以上兩種藏詞語雖然都曾有人用過，但一向是歇後占了極大的多數，到了最近，在口頭的習慣上，更是歇後占了藏詞的全部。現今習俗所用的藏詞，無論是單純的如

下馬威——風

牛頭馬——面

之類，或兼帶諧音的如

猪頭三——牲（生）

胡裏胡——塗（賭）

之類，幾乎沒有不是屬於歇後的。原因大概由於歇後把要用的詞藏在後面，比較地容易想得出，又不必倒推，也比較地來得順，所以經過多年的試用之後，便把那說出成語的後部來教人猜想前部的藏頭語淘汰下去，沒有人再在口頭上運用了。

現在中國各地都很有人愛用歇後語。通常都是把四五個字構成的成語來做歇後的憑藉。如上海現在流行的『猪頭三』一語便是利用四字的成語構成的。滬蘇方言記要說：『此爲稱初至滬者之名詞。「牲」「生」諧音，言初來之人，到處不熟也。』這就是說『猪頭三』這一語是『猪頭三牲』的歇後語，不過因爲『牲』『生』諧音，利用析字的諧音法來轉一個彎兒。但是有時也利用譬解語來做歇後語。譬解語也有單純的，如

圍棋盤裏下象棋——不對路數

之類，也有兼帶諧音的，如

猪八戒的脊梁——悟能之背（無能之輩）

之類，都是由譬和解兩截構成，上截是譬，下截是解，我們讀舊小說時常常可以看到。但在舊小說中看到的差不多都是譬解並列的，而在現在一般人口頭上的譬解語卻常有說譬省解，用譬代解的傾向。如只說『圍棋盤裏下象棋』來表達『不對路數』，或只說『猪八戒的脊梁』來表達『無能之輩』之類。這卻是一種新興的歇後語。這種新興的歇後語和上頭所說的那種原有的歇後語約有兩點不同：（一）是這種歇後語用來歇後的成語，原來是兩截的，歇卻一截，形式上也還可以成句；（二）是這種歇後語藏掉的部分往往不止是一個詞而是幾個詞。這就見得這種歇後語內容比較的繁複，形式也比較的自然。實際是前頭一種歇後的發展現象。我們爲便於跟前頭一種分別起見，可以另稱爲縮脚語。

縮脚語所用的成語都是口頭語，到現在還多只留在口頭，未經搬上紙頭，而歇後語卻早已在文言中出現。歇後語起初用的成語，都是採自詩經書經等幾部讀書人比較熟悉的古書，到後纔見到利用一

般人口頭上的成語。又歇後語的運用起初也有幾乎看不出它的用意來的，也到後來纔見得可以用得與情境極合拍。現在舉一個例於下：

吳中黃生相掀唇，人呼爲『小黃竅嘴』。讀書某寺中，一日，寺僧進麵，因熱傷手忒地，黃作歇後語謔之曰：

『光頭滑—，
光頭浪—，
光頭練—，
光頭勒—。』謂『麵湯摸忒』也。僧亦應聲戲曰：

『七大八—，
七青八—，
七孔八—，
七張八—。』蓋隱『小黃竅嘴』四字。黃亦絕倒。（清褚人穫堅瓠二集一）

在口頭語中用藏詞，多是這樣帶有詼諧性的。

三 飛白

明知其錯故意仿效的，名叫飛白。所謂白就是白字的『白』。白字本應如後漢書尹敏傳那樣寫做『別字』，但我們平常卻都叫做白字。故意運用白字，便是飛白。

在文章或話言中飛白的用處大約有兩類：一是記錄的，二是援用的。

（一）記錄的——這是人有吃澀、滑別的語言，就將吃澀、滑別的語言記錄出來。如尚書顧命篇：

> 奠麗陳教則肄肄不違，用克達殷集大命。

江聲尚書集注音疏說，『肄，習也；重言之者，病甚氣喘而語吃也。』史記高帝本紀：

> 五年，諸侯及將相相與共尊漢王爲皇帝。漢王三讓，不得已，曰，『諸君必以爲便便國家……。』甲午，乃卽皇帝位汜水之陽。

『便便』和『肄肄』，都是直錄吃澀語言的實例。再如王安石戶部郎中贈諫議大夫曾公墓誌銘中寫『可畏』爲『克畏』：

> 始諫議大夫知蘇州魏庠，侍御史知越州王柄，不善於政而喜怒縱入。庠介舊恩以進，柄喜持上。公到，劾之，以聞。上驚曰，『曾某乃敢治魏庠，克畏也！』克畏，可畏也，語轉而然。

至於史記張蒼傳：

> （高）帝欲廢太子，而立戚姬子如意爲太子。周昌廷爭之彊。上問其說。昌爲人口吃，又盛怒，曰：『臣口不能言，然臣期期知其不可，陛下欲廢太子，臣期期不奉詔！』而漢書周昌傳謂：高祖欲廢太子而立戚姬子如意，昌廷爭之彊，上問其說。昌爲人口吃，又盛怒，曰：『臣口不能言，然臣期期知其不可，陛下欲廢太子，臣期期不奉詔！』註：「師古曰：以口吃故，每重言期期。」劉攽曰：「讀如荀子曰欲綦色之綦，楚人謂極爲綦。」

更是吃澀而兼滑別的一個著名的例。『期』就是『綦』的轉音。意思等於現在我們說『極覺得不對』或『極不贊成』的『極』字。本來不必重複。但因周昌本來吃舌，當時又氣極了，一時說滑了便說成了『期期』。而史記就把那說滑了的『期期』直錄下來。於是『期期』便成爲一個極著名的詞頭，到現在做文言文的還常常有人引用它。像這一類的飛白，大抵只在記錄當時說話的實際情形，此外不含別的作用。要不要直錄，當然儘隨作者自便。所以像『期期』一例，漢書雖然仍舊寫作『期期』，但像『諸君必以爲便便國家……』一例，漢書便改作『諸侯王幸以爲便於天下之民則可矣』，不再沿用飛白的措辭法了。

（二）援用的——這是人有吃澀、滑別的語言，就援用吃澀滑別的語言去取笑。如聊齋志異（三）嘉平公子篇記嘉平某公子不通文義：

一日，公子有諭僕帖，置案上，中多錯誤。『椒』訛『菽』，『薑』訛『江』，『可恨』訛『可浪』。女見之，書其後云：

何事可浪，花菽生江；有壻如此，不如爲倡。

又如堅瓠集（三）載：

有人送枇杷於沈石田，誤寫琵琶。石田答書曰：

承惠琵琶，開匳視之，聽之無聲，食之有味。乃知司馬揮淚於江干，明妃寫怨於塞上，皆爲一啖之需耳。嗣後覓之，當於楊柳曉風、梧桐夜雨之際也。

又如堅瓠七集（四）載：

景泰中，有一陰生，作蘇州監郡，不甚曉文義，一日呼翁仲爲仲翁，或作倒字詩誚之曰：

翁仲將來作仲翁，也緣書讀少夫工。馬金堂玉如何入，只好蘇州作判通。

都是此類。就是年來時常援用的『汗牛之充棟』『意表之外』等辭也是這一類。

把大家熟悉的例來說，像紅樓夢第二十回的這一段中：

寶玉黛玉二人正說着，只見湘雲走來笑道，『愛哥哥，林姐姐，你們天天一處玩，我好容易來了也不理我一理兒！』黛玉笑道，『偏你咬舌子愛說話，連個二哥哥也叫不上來，只是愛哥哥，愛哥哥的。回來趕圍棋兒，又該你鬧么愛三了。』寶玉笑道，『你學慣了，明兒連你還咬起來呢。』……湘雲笑道，『我只保佑着，明兒得一個咬舌兒林姐夫，時時刻刻，你可聽愛呀厄的去！』

所有點出的『愛』字，除出最後一個愛字另有含義外，都就是『二』字的轉音，不過中間也略為有分別：『愛哥哥』的『愛』是第一類的用法，『么愛三』的『愛』是第二類的用法。

四 鑲嵌

有時為要話說得舒緩些或者鄭重些，故意用幾個無關緊要的字來找長緊要的字的，我們可以稱為鑲字。鑲字以鑲加虛字和數字為最常見。如左傳昭公二十五年，有鸜鵒來巢，師己引童謠說：

鸜之鵒之，公出辱之。

鸜鵒上鑲上兩個之字。漢書敍傳：

榮如辱如，有機有樞。

榮辱上鑲上兩個如字。又如何典卷四：

這個其容且易。

把容易兩字鑲上其且兩字，何典卷九：

他們不過奉官差遣，打殺他也覺冤哉枉也。

把冤枉兩字鑲上哉也兩字，又如我們一般口語中常說：

他也不過是個平者常也的人。

把平常兩字鑲上者也兩字，都是鑲加虛字的例。 這樣鑲上的虛字雖然並無獨特的意義，卻有延音加力的作用，使被鑲的各字聲音延長，藉以引起讀者聽者充分的注意。 所以它的效果，頗同重疊反復相像，有時可同重疊反復代換。 像前面所引的童謠，結句便作『鸜鵒鸜鵒，往歌來哭』，同前面所引的首句，遙遙相對。 鑲加數字的情形，也和鑲加虛字約略相同。 如把乾淨兩字鑲上一二兩字，作一乾二淨：

林之洋鬍鬚早已燒得一乾二淨。（鏡花緣第二十六回）

把不做不休四字鑲上一二兩字，作一不做二不休：

索性給他一不做二不休罷。（鏡花緣第三十五回）

也無非是延音加力的作用，而且有時可同重疊反復代換，像所謂一乾二淨便不妨改作乾乾淨淨。 不過鑲加的數字，數目在一二以上的，意義略乎有點不同。 如：

瞎話　鑲　三四　作　瞎三話四

對面　鑲　三六　作　三對六面

平穩　鑲　四八　作　四平八穩

接連　鑲　二三　作　接二連三
亂糟　鑲　七八　作　亂七八糟
低下　鑲　三四　作　低三下四
零落　鑲　七八　作　七零八落

等等，就都於『瞎話』『對面』等等正義之外，還略乎含有『多』的副義，但這等副義實際含得不多，故如『瞎三話四』等話，就使瞎說的只是一二句話，也還可以用，而所謂『接二連三』，接連的或有七八種事物，也還是可以用的。此外如鑲『天地』，把『歡喜』說成了『歡天喜地』，鑲『頭腦』，把『油滑』說成了『油頭滑腦』等等，用法也大略相同。例證極多，我們可以不必列舉。

至於嵌字，是故意用幾個特定的字來嵌入話中，比較不容易用得自然，所以用處也就異常地少。只在詩詞歌曲小說中，偶然一見。如：

江南可採蓮，蓮葉何田田！魚戲蓮葉間。
魚戲蓮葉東，
魚戲蓮葉西，
魚戲蓮葉南，
魚戲蓮葉北。

見樂府詩集，嵌『東西南北』四字。又如：

蘆花灘上有扁舟，

俊傑黃昏獨自遊；
義到盡頭原是命，
反躬逃難必無憂。

見水滸六十回，嵌『盧俊義反』四字。

將兩個並列或對待的雙詞，間錯開來用的拼字法，看來可以算是介在鑲嵌之間的一體，這卻在各式的語文中用得極多。如說『詳細情節』，不說『詳細情節』，卻說『詳情細節』，便是這一種方法的運用。實例如下：

兩個丫頭，川流不息地在家前屋後走，叫的太太一片聲響。（儒林外史第二十七回）

此時與子空歸來，男呻女吟四壁靜。（杜甫乾元中寓居同谷縣作歌七首之一）

山重水複疑無路，柳暗花明又一村。（陸游遊山西村詩）

林紓著的畏廬論文中有『拼字法』一篇專論這一法。他說，『古文之拼字與塡詞之拼字，法同而字異。……詞中之拼字法，蓋用尋常經眼之字，一經拼集，便生異觀。如花柳者常用字也，昏暝二字亦然；一拼爲柳昏花暝則異矣。玉香者常用字也，嬌怨二字亦然；一拼爲玉嬌香怨則異矣。綺羅者常用字也，愁恨二字亦然；一拼爲愁羅恨綺則異也，煙雨者常用字也，顰恨二字亦然；一拼爲恨煙顰雨則異矣。……』後來他又論到古文中拼字法說，『如漢書揚雄傳之勒崇垂鴻：崇，高也，鴻，大也，師古注爲「勒崇名而垂鴻業也」，勒垂崇鴻皆拼集也。又騁耆奔欲：耆即嗜字，嗜欲人所常用，一拼以奔騁二字，立成異觀……。』最後他又辨解說，『諸如此類，不過就衆人所習見者指出，見古人用心之處。不知者以僕爲敵字嚼句，令人走入魔道，此等罪孽，僕所不任。蓋古文原有此種拼字之法，卽韓柳亦然。蓋局勢氣脈者，文之大段也；絺章繪句原屬小技，然亦不可不知：大處旣已用心，此等末節亦不能不垂意及之。』（頁五十九至六十）

五　複疊

複疊是把同一的字接二連三地用在一起的辭格。共有兩種：一是隔離的，或緊相連接而意義不相等的，名叫複辭；一是緊相連接而意義也相等的，名叫疊字。

一　複辭

（一）知之爲知之，不知爲不知，是知也。（論語爲政篇）

（二）老吾老以及人之老，幼吾幼以及人之幼。（孟子梁惠王上）

（三）君君，臣臣，父父，子子。（論語顏淵篇）

（四）故有生者，有生生者；有形者，有形形者；有聲者，有聲聲者；有色者，有色色者；有味者，有味味者。（列子天瑞篇）

這就是陳騤所謂『交錯之體』。文則卷上丁節第二條說：文有交錯之體，若糾纏然，主在析理，理盡後已。書（大禹謨）曰，『念茲在茲，釋茲在茲，名言茲在茲，允出茲在茲。』莊子（齊物論）曰，『有始也者，有未始有始也者，有未始有夫未始有始也者。』又曰：『以指喻指之非指，不若以非指喻指之非指也。』荀子（富國篇）曰，『不利而利之，不如利而後利之之利也：利而後利之，不如利而不利者之利也。』國語（晉語六）曰，『成人在始與善。始與善，善進善，不善蔑由至矣；始與不善，不善進不善，善亦蔑由至矣。』穀梁（僖公二十二）曰，『人之所以爲人者言也；人而不能言，何以爲人？言之所以爲言者信也；言而不信，何以爲言？信之所以爲信者道也；信而不道，何以爲信？』此類多矣，不可悉舉。

所引各例，都頗精當，可與上面所舉四例參看。

二　疊字

（五）尋尋覓覓，冷冷淸淸，悽悽慘慘戚戚。乍暖還寒時候，最難將息。（李淸照聲聲慢詞）

（六）側着耳朶兒聽，躡着腳步兒行，悄悄冥冥潛潛等等，等我那齊齊整整，嬝嬝婷婷，姐姐鶯鶯。（西廂記酬韻）

（七）信彼南山，維禹甸之。畇畇原隰，曾孫田之。我疆我理，南東其畝。

上天同雲，雨雪雰雰。益以霢霂，既優既渥。既霑既足，生我百穀。

疆場翼翼，黍稷彧彧。曾孫之穡，以爲酒食。畀我尸賓，壽考萬年。

中田有廬，疆場有瓜。是剝是菹，獻之皇祖。曾孫壽考，受天之祜。

祭以清酒，從以騂牡。享于祖考，執其鸞刀。以啓其毛，取其血膋。

是烝是享，苾苾芬芬。祀事孔明，先祖是皇。報以介福，萬壽無疆。

（詩經小雅信南山）

（八）我則見黯黯慘慘天涯雲布，萬萬點點瀟湘夜雨。正値著窄窄狹狹溝溝塹塹路崎嶇，黑黑黯黯彤雲布，赤留赤律瀟瀟灑灑斷斷續續，出出律律忽忽魯魯陰雲開處，霍霍閃閃電光星注。正值著颼颼摔摔風，淋淋渌渌雨。高高下下凹凹答答一水模糊，撲撲簌簌溼溼渌渌疏林人物，卻便似一幅慘慘昏昏瀟湘水墨圖。（佚名氏貨郎旦雜劇第三折）

這種疊字比那種複辭的長處約有三點：（一）音節比較自然和諧，不像複辭那樣佶屈聱牙；（二）組織比較單純清楚，不像複辭那樣忽而有文法上的變化，如『老吾老』的兩個『老』字，文法功能不同，忽而有意思上的變化，如『君君』的兩個『君』字意義不等；（三）理解也比較容易，不像複辭那樣『若糾纏然』，糾纏不清。因此它的用處更加廣，注意它的也更加多。但古來的注意似乎多只偏於詩一方面。如顧炎武說：

詩用疊字最難。衞詩『河水洋洋，北流活活，施罛濊濊，鱣鮪發發，葭菼揭揭，庶姜孽孽』，連用六疊字，可謂複而不厭，賾而不亂矣。古詩『青青河畔草，鬱鬱園中柳。盈盈樓上女，皎皎當窗牖。娥娥紅粉妝，纖纖出素手』，連用六疊字，亦極自然。下此卽無人能繼。屈原九章悲回風『紛容容之無經兮，罔芒芒之無紀。軋洋洋之無從兮，馳逶移之焉止。漂翻翻其上下兮，翼遙遙其左右。氾潏潏其前後兮，伴張弛之信期』，連用六疊字。宋玉九辯『乘精氣之摶摶兮，鶩諸神之湛湛。驂白霓之習習兮，歷羣靈之豐豐。左朱雀之茇茇兮，右蒼龍之躣躣。屬雷師之闐闐兮，通飛廉之衙衙。前輕輬之鏘鏘兮，後輜乘之從從。載雲旗之委蛇兮，扈屯騎之容容』，連用十一疊字。後人辭賦，亦罕及之者。（日知錄二十一）

極口稱贊古詩的連用疊字，甚至以爲『下此卽無人能繼』。又如王筠把詩經疊字類集起來著了毛詩重言一書。原因無非因爲詩中用疊字的現象比較集中，卽所謂連用疊字的比較地多，所以比較受人注意。但修辭現象的較爲集中是詩歌的一般情形。因爲詩歌格外注意技術，每注意到一種技術，便把那種技術儘量地用，所以技術每每有集中的現象，並非單是疊字一種辭法如此。現在我們可以略舉別種文辭的幾個例於下。例如：

這日，三人正在船後閒談，多九公忽然囑付衆水手道，『那邊有塊烏雲漸漸上來，少刻卽有風暴，必須將篷落下一半，繩索結束牢固，惟恐不能收口，只好順着風頭飄了。』唐敖聽罷，朝外一看，只見日朗風清，毫無起風形象，惟見有塊烏雲微微上升，其長不及一丈。看罷，不覺笑道，『若說這樣晴明好天，卻有暴風，小弟到不信了。難道這塊小小烏雲能藏許多風暴？那有此事！』林之洋道，『那明明是塊風雲，妹夫那里曉得！』言還未了，只聽得四面呼呼亂響，頃刻間狂風大作，波浪滔天，那船順風吹去，就是烏騅快馬也趕他不上。越刮越大，眞是翻江攪海，十分厲害。唐敖躲在船艙中，這纔佩服多九公眼力不錯。

這個風暴再也不息，沿途雖有收口處，無奈風勢甚狂，那里由你做主。不但不能收口，並且船篷被風鼓住，隨你用力，也難落下。一連刮了三日，這纔略略小些，費盡氣力，纔泊到一個山脚下。……唐敖因風頭略小，立在舵樓四處觀望。只見船旁這座大嶺，較之東口麟鳳等山，甚覺寬闊。遠遠看去，淸光滿目，黛色參天。望了多時，早已垂涎，要去遊玩。林之洋因受了風寒，不能同去，卽同多九公上岸。喜得那風被山遮住，並不甚大，隨卽上了山坡。多九公道，『此處乃海外極南之地，我們若非風暴，何能至此！老夫幼年雖由此地路過，山中卻未到過。惟聞人說，此地有個海島，名叫小蓬萊，不知可是。我們且到前面，如有人煙，就好訪問。』又走多時，迎西有一石碑，上鐫『小蓬萊』三個大字。唐敖道，『果然九公所說不錯。』繞過峭壁，穿過崇林，再四處一看，水秀山淸，無窮美景。越朝前進，山景越佳，宛如登了仙界一般。

二人遊玩多時，唐敖道，『我們前在東口遊玩，小弟以爲天下之山無出其右，那知此山處處都是仙境。卽如這些仙鶴麋鹿之類，任人撫摩，並不驚走，若非有些仙氣，安能如此？到處松實柏子，啖之滿口淸香，都是仙人所服之物。如此美地，豈無眞仙？原來這個風暴卻爲小弟而設。』多九公道，『此山景致雖佳，我們只顧前進，少刻天晚，山路崎嶇，如何行走？今且回去，明日如風大，不能開船，仍好上來。林兄現在有病，我們更該早回纔是。』唐敖正遊的高興，雖然轉身，仍是戀戀不捨，四處觀望。多九公道，『唐兄，要像這樣，走到何時纔能上船？設或黃昏，如何下得山去？』唐敖道，『不瞞九公說，小弟自從登了此山，不但名利之心都盡，只覺萬事皆空。此時所以遲遲吾行者，竟有懶入紅塵之意了。』多九公笑道，『老夫素日常聽人說，讀書人每每讀到後來，入了魔境，要變成書獃子。尊駕讀書雖未變成書獃子，今遊來遊去，竟要變成遊獃子了。唐兄，快些走罷，不要鬥趣了。』（鏡花緣三十九回到四十回）

我們在這一小段描寫蓬萊島的文字裏就可見到『漸漸』、『微微』、『小小』、『明明』、『呼呼』、『略略』、『遠遠』、『處處』、『戀戀』、『遲遲』、『每每』等許多疊字。又如：

這幾天，心裏頗不寧靜。今晚在院子裏坐着乘涼，忽然想起日日走過的荷塘，在這滿月的光裏，總該另有一番樣子吧。月亮漸漸地升高了，牆外馬路上孩子們的歡笑已經聽不見了，妻在屋裏拍着閏兒迷迷糊糊地哼着眠曲，我悄悄地披了大衫，帶上門出去。
沿着荷塘是一條曲折的小煤屑路。這是一條幽僻的路，白天也少人走，夜晚更加寂寞。荷塘四面，長著許多樹，蓊蓊鬱鬱的。路的一旁，是些楊柳和一些不知道名字的樹。沒有月光的晚上，這路上陰森森的有些怕人，今晚卻很好，雖然月光也還是淡淡的。（朱自清荷塘月色）

我們在這兩小段描寫荷塘月色的文章中，也可以見到『日日』、『漸漸』、『迷迷糊糊』、『悄悄』、『蓊蓊鬱鬱』、『森森』、『淡淡』等疊字。至於口頭上用得更多，而且更奇。例如

隨便——隨隨便便
許多——許許多多
幾何——幾幾何何
不少——不不少少（杭州話）
寫意——寫寫意意（上海話）
吃力——吃吃力力
客氣——客客氣氣
高興——高高興興
大方——大大方方
轉彎——轉轉彎彎

簡直舉不了許多。而採用此類疊字的用意卻同筆頭上一色無二，大致不外：（一）借聲音的繁複增進語感的繁複；或（二）借聲音的和諧張大語調的和諧。

疊字未必就是副詞、形容詞，卻是用做副詞形容詞的居多。所以文心雕龍物色篇說：

> 詩人感物，聯類不窮。流連萬象之際，沈吟視聽之區，寫氣圖貌，旣隨物以宛轉，屬采附聲，亦與心而徘徊。故『灼灼』狀桃花之鮮，『依依』盡楊柳之貌，『杲杲』爲出日之容，『瀌瀌』擬雨雪之狀，『喈喈』逐黃鳥之聲，『喓喓』學草蟲之韻。……並以少總多，情貌無遺矣。雖復思經千載，將何易奪？

這在文言中只有獨用，在口語中卻還可以鑲用。在口語中每每把一個疊字鑲在一個單字副詞或形容詞之後，來構成一個繁複的副詞或形容詞。如『亂紛紛』『冷清清』『寒森森』『羞答答』等是。這種疊字，一小部分是抽出本來相連的一個字來做重言，看去似乎還有意義，如『亂紛紛』的『紛紛』，『冷清清』的『清清』之類；一大部分是，單借對於聲音的感覺來表現當時的氣氛，乃是一種摹感的摹聲辭，實際只取聲音，不取意義。故『黑』有時說『黑蜮蜮』，有時說『黑魆魆』，也有時說『黑突突』『黑漆漆』，而『喜』有時說『喜孜孜』，苦也有時說『苦孜孜』，『白』有時說『白澄澄』，『黃』也有時說『黃澄澄』。多是隨感而用，並無一定。（參看本書第五篇論摹狀辭）

再疊字有時這樣做鑲用，複辭也有時做嵌用。如：

> 居止次城邑，逍遙自閑止。坐止高陰下，步止蓽門裏。

好味止園葵，大歡止稚子。　平生不止酒，止酒情無喜。
暮止不安寢，晨止不能起。　日日欲止之，營衞止不理。
徒知止不樂，未信止利己。　始覺止爲善，今朝眞止矣。
從此一止去，將止扶桑涘。　清顏止宿容，奚止千萬祀。
——陶潛止酒詩

就每句嵌有一個『止』字。但這種嵌複的運用也大不及鑲疊的自然。雖然有人賞識它，說『淵明會心在止字，如人利有所嗜，言之津津不置口也』，其實不過是淵明『暮止不安寢，晨止不能起』時候的一種小玩意而已。下列一個是鑲疊與嵌複連用的例：

齊臻臻珠圍翠繞，冷淸淸綠暗紅疏。但合眼夢裏尋春去：春光堪畫，春景堪圖；春心狂蕩，春夢何如？消春愁不曾兩葉眉舒，殢春嬌一點心酥。感春情來來往往蜂媒，動春意哀哀怨怨杜宇，亂春心嬌嬌怯怯鶯雛。春光怎如！綠窗猶唱留春住。怎肯把春負，長要春風醉後扶，春夢似華胥。（馬致遠惜春曲）

六　節縮

節短語言文字，叫做節；縮合語言文字，叫做縮。節縮都是音形上的方便手段，於意義並沒有什麽增減。如將五月四日節短爲五四，三十縮合爲卅，五月三十日節縮爲五卅，意義仍然是五月四日、三十、五月三十日，並沒有什麽增減。不過字音字形比較的短少，說起來寫起來比較的簡便些，聽起來看起來也比較的簡潔些罷了。雖然意義並無增減，卻可避免繁冗拖沓，可把常說共喻的詞語來省言簡舉，達到我們得省便處且省便的目的。但在古文中，卻有利用它來湊就對偶音節或者形成錯綜的。今將比較常用的略舉於後：

甲　縮合

（一）不可有時縮合爲叵。如後漢書呂布傳：

布目備曰，『大耳兒最叵信。』

說文說：叵，不可也。

（二）何不有時縮合爲盍。如論語公冶長：

子曰，『盍各言爾志。』

朱注說：盍，何不也。

（三）奈何有時縮合爲那。如左傳宣公二年：

牛則有皮，犀兕尚多，棄甲則那？

顧炎武日知錄（三十二）說：直言之曰那，長言之曰奈何，一也。

（四）之於或之乎有時縮合爲諸。如論語衞靈公：

子張書諸紳。

馬建忠文通說：之合於字，疾讀之曰諸。孟子梁惠王下：

湯放桀，武王伐紂，有諸？

王引之經傳釋詞說：諸，之乎也；急言之曰諸，徐言之曰之乎。

（五）不要有時縮合爲別。如紅樓夢第四十回：

黛玉道，『我最不喜歡李義山的詩，只喜他這一句：留得殘荷聽雨聲。偏你們又不留着殘荷了。』寶玉道，『果然好句！以後偺們別叫拔去了。』

（六）勿曾有時縮合爲朆。如吳歌甲集：

喫爺飯，着娘衣。朆喫哥哥窠裏米，朆着嫂嫂嫁時衣！

此外如不用縮成『甭』，勿要縮成『嫑』，二十縮成『廿』，四十縮成『卌』，也頗常用。這類縮成字的聲音，通常就是被縮字的合聲。如『朆』音『粉』，『卅』音撒，『卌』音錫。除非聲音轉變了，纔會讀成不是被縮字的合聲，如『廿』今讀若『念』。俞樾茶香室叢鈔（九）說：『廿音聶，轉音爲念，亦猶捻之有聶音也。』所有合聲都由急說急讀被縮的字而成。

乙　節短

節短普通也是急說急讀的結果。俞樾古書疑義舉例語急例說：『論語先進篇：由也喭。鄭注曰：子路之行，失於畔喭。然則喭即畔喭也。雍也篇：君子博學於文，約之以禮，亦可以弗畔矣夫！畔，亦即畔喭也。畔喭本疊韻字，急言之，則或曰喭，由也喭是也，或曰畔，亦可以弗畔矣夫是也。』這就是說：喭和畔都是畔喭的節短，而節短的緣故，則由於語急。但古來節短的例很多，其中也有不爲語急而節的。我們常見的，有書名的節短。如

（一）摯虞文章流別論，李充翰林論，有人節爲流別、翰林。文心雕龍序志篇：

仲洽流別，宏範翰林，各照隅隙，鮮觀衢路。

有書名帶篇名的節短，如

（二）呂氏春秋內含六論，八覽，十二紀，有時節爲呂覽。太史公自序及報任少卿書：

不韋遷蜀，世傳呂覽。

篇名的節稱如學而、述而之類更是常見，可以不必舉例。又有地名的節短，如

（三）勃海碣石有人節爲勃碣。史記貨殖傳：

夫燕亦勃碣之間一都會也。

注云：勃海碣石。

（四）巴郡宕渠縣有人節爲巴宕。漢書王莽傳：

成命於巴宕。

注云：巴郡宕渠縣。這與現在節江蘇浙江爲江浙，浙江義烏縣爲浙義，完全一樣。又有官名的節短。如

（五）黃門侍郎、散騎常侍常節作黃散。晉書陳壽傳：

杜預復薦之於帝，宜補黃散。

（六）中書、祕書常節作中祕。魏書禮志：

所論事大，垂之萬葉。宜並集中祕羣儒，人人別議。

這在現在也有相仿的例。此外還有年號的節短。如節稱宋神宗的年號熙寧、元豐爲熙豐，宋徽宗的年號政和、宣和爲政宣之類。這頗有人排斥，而排斥的理由，卻是因爲『不敬』（看日知錄二十）。至於人名則節短的更多，排斥者也更多，可說是節短方式上意見最紛歧的一項。我們且把它們分做節

姓、節名兩項，來舉例子。節姓的，有

（七）韓愈讀東方朔雜事詩節東方朔爲方朔：

方朔乃豎子，驕不加禁訶。

本詩中方朔出現了三次。有

（八）劉知幾史通六家篇節司馬遷爲馬遷：

馬遷撰史記，終於今上。

本篇中馬遷也出現了好幾次。有

（九）晉書諸葛恢傳節諸葛爲葛。該傳載荀闓、蔡謨與諸葛恢，俱字道明，人爲之語曰：

京都三明各有名，蔡氏儒雅荀葛淸。

本書中諸葛的節稱也出現了好幾次。如王濬傳中便有節諸葛亮爲葛亮的例。至於節名的例更多。單舉比較熟悉的來說，便有

（十）王勃滕王閣序節楊得意爲楊意，鍾子期爲鍾期：

楊意不逢，撫淩雲而自惜；鍾期既遇，奏流水以何慚。

（十一）嵇康琴賦節榮啓期爲榮期，王昭君爲王昭：

於是遯世之士，榮期綺季之疇，乃相與登飛梁，越幽壑，援瓊枝，陟峻崿，以遊乎其下。……下逮謠俗，蔡氏五曲，王昭楚妃，千里別鶴，猶有一切承閒簉乏，亦有可觀者焉。

等等。這大約因爲左傳定公四年曾節稱晉侯重耳爲晉重，昭公元年又曾節稱莒展輿爲莒展，節名早就

有了先例，所以循例節稱的特別多。

節名節姓通常也是爲了簡便起見，用在種種不必繁說詳舉的時候。如例（九），是當時大家知道的；如例（七），是題目上已經標明的。如例（八），也是從那篇文章的上下文便可推知的。但也有時好像只是字面上音節上的經營。或是爲要形成錯綜而節的，如史記陳杞世家：

> 靈公與其大夫孔寧儀行父皆通於夏姬。……靈公與二子飲於夏氏。公戲二子曰，『徵舒似汝。』二子曰，『亦似公。』徵舒怒，靈公罷酒出，徵舒伏弩廐門，射殺靈公。孔寧儀行父皆奔楚。靈公太子午奔晉。徵舒自立爲陳侯。徵舒，故陳大夫也。夏姬，御叔之妻，舒之母也。成公元年冬，楚莊王爲夏徵舒殺靈公，率諸侯伐陳。謂陳曰，『無驚，吾誅徵舒而已！』

文中將夏徵舒、徵舒、舒錯雜着用，除有幾處可以有別種解說外，像『舒之母也』只用一舒字，而直前的一句『徵舒，故陳大夫也』，卻用徵舒兩字，那就只能說它是爲形成錯綜而節的。至於爲湊就對偶音節而節的，例子更多。如陸機辨亡論有兩句，晉書陸機傳作：

> 施績范愼以威重顯，丁奉鍾離斐以武毅稱。

而文選卻作：

> 施績范愼以威重顯，丁奉離斐以武毅稱。

使丁奉離斐與施績范愼相對，便是節名湊音就對的一個極顯明的例。錢大昕養新錄（十二）說：『漢魏以降，文尚駢儷，詩嚴聲病，所引用古人姓名，任意割省，當時不以爲非。如皇甫謐釋勸：榮期以三樂感尼父。庾信詩：唯有丘明恥，無復榮期樂。白樂天詩：天教榮啓樂，人恕接輿狂。謂榮啓期也。費鳳別碑：司馬慕藺相，南容復白圭。謂藺相如也。……』單是養新錄已經舉出的，便有幾十個例。這種割名湊對就音的傾向，容易使文字離開了內容上的需要，專去玩那形式上的花樣。不顧內容上是否可以節，而只計較形式上需要不需要節。於是內容往往會晦到非注不明，甚至晦到了只有作者自己能夠注。這便犯了以先文人最容易犯的所謂削趾適屨的拙病，自然是應該排斥的。過去排斥得最厲害的似乎要算顧炎武。他簡直罵翦截名字爲『不通』（看日知錄二十三）。但他沒有將是非說清楚，也沒有將成敗辨清楚。別的排斥的人也差不多是如此。所以難以折服人心，要引起擁護節短的人反罵他們爲淺陋無知（看俞正燮癸巳存稿十二）。而這個問題就一直在這樣叫通罵陋的叫罵聲中擱了下來，一向不曾有過什麼切合實際的解決。

我們認爲排斥節短形式的玩弄是正確的，不過排斥也不應只注意形式，不注意實際的情況。因爲該排斥的不是節短本身，而是節短的濫用。這一定要看情境看內容是否可以節短。說得明確點，就是要看內容是否可以節短，以及節短了是否仍舊看得懂，或者更加簡潔有力。要是只要看見節短的形式便排斥，那就與專把節短的形式來玩弄的一樣要陷於形式主義的泥沼，對於節短不會有和情境聯系和內容聯系的認識，也就不會有和情境聯系和內容聯系的運用。

七　省略

話中把可以省略的語句省略了的，名叫省略辭。有積極的省略和消極的省略兩種。凡屬可以省略的簡直不寫，如繪畫上的略寫法，或雖寫只以一二語了之，如唐彪所謂『省筆』，這是積極的省略。

積極省略中的前者，我們可以舉左傳、穀梁傳、國語、禮記、史記、說苑等書所載驪姬向晉獻公譖害太子申生一件事爲例，互相參證。

（左傳）姬謂太子曰，『君夢齊姜，必速祭之。』太子祭于曲沃，歸胙于公。公田，姬寘諸宮，六日，公至，毒而獻之。公祭之地，地墳；與犬，犬斃；與小臣，小臣亦斃。姬泣曰，『賊由太子。』太子奔新城（曲沃），公殺其傅杜原款。或謂太子，『子辭，君必辨焉。』太子曰，『君非姬氏居不安，食不飽；我辭，姬必有罪：君老矣，吾又不樂。』曰，『子其行乎？』太子曰，『君實不察其罪，被此名也以出，人誰納我？』（僖公四年）

（穀梁）麗姬又〔謂君〕曰，『吾夜者夢夫人趨而來，曰，「吾苦飢」；世子之宮已成，則何爲不使祠也？』故獻公謂世子曰，『其祠！』世子祠。已祠，致福於君，君田而不在。麗姬以酖爲酒，藥脯以毒。獻公田來，麗姬曰，『世子已祠，故致福於君。』君將食，麗姬跪曰，『食自外來者，不可不試也。』覆酒於地而地賁；以脯與犬，犬死。麗姬下堂而呼啼曰，『天乎天乎！國，子之國也；子何遲於爲君！』君喟然歎曰，『吾與汝未有過切，是何與我之深也！』使人謂世子曰，『爾其圖之！』世子之傅里克謂世子曰，『入自明！入自明則可以生；不入自明則不可以生。』世子曰，『吾君已老矣，已昏矣。吾若此而入自明，則麗姬必死，麗姬死則吾君不安。所以使吾君不安者，吾不若自死；吾寧自殺以安吾君。』（僖公十年）

（國語）驪姬以君命命申生曰，『今夕君夢齊姜，必速祠而歸福。』申生許諾。乃祭于曲沃，歸福于絳。公田，驪姬受福，乃寘鴆于酒，寘堇于肉。公至，召申生獻。公祭之地，地墳。申生恐而出。驪姬與犬肉，犬斃；飲小臣酒，亦斃。公命殺杜原款。申生奔新城。……人謂申生曰，『非子之罪，何不去乎？』申生曰，『不可。去而罪釋，必歸於君，是怨君也；章父之惡，取笑諸侯，吾誰鄉而入？內困於父母，外困於諸侯，是重困也；棄君去罪，是逃死也。吾聞之：仁不怨君，智不重困，勇不逃死。若罪不釋，去而必重；去而罪重，不智；逃死而怨君，不仁；有罪不死，無勇：去而厚怨。惡不可重，死不可避，吾將伏以俟命。』（晉語二）

（禮記）晉獻公將殺其世子申生。公子重耳（申生異母弟）謂之曰，『子蓋（當爲盍）言子之志於公乎？』世子曰，『不可。君安驪姬——是我傷公之心也。』曰，『然則蓋行乎？』世子曰，『不可。君謂我欲弒君也。天下豈有無父之國哉；吾何行如之？』（檀弓上）

（史記）驪姬謂太子曰，『君夢見齊姜，太子速祭曲沃，歸釐於君。』太子於是祭其母齊姜於曲沃，上其薦胙於獻公；獻公時出獵，置胙於宮中。驪姬使人置毒藥胙中。居二日，獻公從獵來還，宰人上胙獻公，獻公欲饗之。驪姬從傍止之曰，『胙所從來遠，宜試之。』祭地，地墳；與犬，犬死；與小臣，小臣死。驪姬泣曰，『太子何忍也！其父而欲弒代之，況他人乎？且君老矣；旦暮之人，曾不能待，而欲弒之！』……太子聞之奔新城。獻公怒，乃誅其傅杜原款。或謂太子曰，『爲此藥者乃驪姬也，太子何不自辭明之？』太子曰，『吾君老矣，非驪姬，寢不安，食不甘；卽辭之，君且怒之。不可。』或謂太子曰，『可奔他國。』太子曰，『被此惡名以出，人誰內我？我自殺耳！』（晉世家）

（說苑）晉驪姬譖太子申生於獻公，獻公將殺之。公子重耳謂申生曰，『爲此者非子之罪也，子胡不進辭？辭之必免於罪。』申生曰，『不可。我辭之，驪姬必有罪矣。吾君老矣；微驪姬寢不安席，食不甘味，如何使吾君以恨終哉？』重耳曰，『不辭，則不若速去矣。』申生曰，『不可，去而免於死，是惡吾君也。夫彰父之過而取笑諸侯，孰肯內之？入困於宗，出困於逃，是重吾惡也。吾聞之，忠不暴君，智不重惡，勇不逃死。如是者吾以身當之。』（立節篇）

例中如驪姬請獻公試胙一節，左傳完全不寫，便是這組的省略法，其餘這里寫那里不寫的也還有，也同樣是這組的省略法。至於後者的積極省略法，則常用在不能如上述這樣略了不寫，而上文卻又已經詳寫過了不必再加詳寫的地方，就是吳曾祺所謂『於上文所有者，以一二語結之』的省略法（涵芬樓文談省文篇）。這『有省文省句之不同：如「其他仿此」，「餘可類推」，乃省文法也；「舜亦以命禹」「河東凶亦然」之類，省句法也。』（唐彪讀書作文譜卷七）

以上所說的積極省略法，都是省句的省略法：省句到極，簡直不寫，便是前者；省句不到這樣程度，不是不寫，只是略寫，便是後者。消極的省略，卻不是省句而是省詞。省詞的消極省略法，也可分作兩組。

甲　蒙上省略——上文有過的詞，下文便省略了。

（一）多聞擇其善者而從之，多見〔擇其善者〕而識之。（論語述而篇）

（二）楚人為食，吳人及之。〔楚人〕奔，〔吳人〕食而從之。（左傳定公四年）

（三）若是死時，我與你們同死；活時，同活。（水滸第二回）

（四）王不在大，湯以七十里（王），文王以百里（王）。（孟子公孫丑上）

這樣凡是上文點出處，下文都已略去。

乙　探下省略——這與前類相反，上下同有的詞不留上文卻把上文先省略了。如：

（五）七月〔蟋蟀〕在野，八月〔蟋蟀〕在宇，九月〔蟋蟀〕在戶，十月蟋蟀入我牀下。（詩經豳風七月篇）

（六）夏后氏五十〔畝〕而貢，殷人七十〔畝〕而助，周人百畝而徹。（孟子滕文公上）

這兩組的省略法比較起來當然是前一組比較的普通，後一組比較的少見，因此就有人以爲後一組的省略，非深於文章者不能爲。如張文潛說，『詩三百篇……要之非深於文章者不能作。如「七月在野」至「入我牀下」，於「七月」以下皆不道破，直至「十月」方言「蟋蟀」，非深於文章者，能爲之邪？』（胡仔漁隱叢話前集卷一所引）

八　警策

語簡言奇而含意精切動人的，名爲警策辭，也稱警句，以能像蜜蜂，形體短小而有刺有蜜，爲最美妙。文中有了它，往往氣勢就此一振。

警策辭約可分爲三種：第一種是將自明的事理極簡練地表現出來，使人感着一種格言味的，如：

（一）道不同，不相爲謀。——論語衛靈公

（二）雖鞭之長，不及馬腹。——左傳宣公十五年

第二種是將表面上兩兩無關的事物，揑成一句，初看似不可解，其實含有眞理的，例如：

（三）牆有耳，伏寇在側。——管子君臣篇

（四）尺有所短，寸有所長。——史記白起王翦傳贊

第三種是話面矛盾反常而意思還是連貫通順，可以稱爲『奇說』『妙語』(Paradox)的一種警策辭。這是警策辭中最爲奇特，卻又最爲精采的一種形式。例如：

（五）善游者溺，善騎者墮。——文子符言篇

（六）不塞不流，不止不行。——韓愈原道

（七）打是疼，罵是愛。——兒女英雄傳第三十七回

九 折繞

有話不直直截截的說，卻故意說得曲折，繳繞的，名叫折繞辭。用這類辭的目的約有下列四種：

一、求語言婉轉

（一）太公吩咐道：『夜間如外面有熱鬧不可出來窺望。』智深道：『敢問貴莊今夜有甚事？』太公道：『非是你出家人閒管的事。』太公道：『……小女招夫，以此煩惱。』……（水滸傳）

所謂『太公道：『師父不知，這頭親事，不是情願與的。』

（二）（吳王夫差賜伍子胥死。子胥）將死，曰，『樹吾墓檟，檟可材也，吳其亡乎？』（左傳哀公十一年）

所謂『檟可材也，吳其亡乎』就是說吳不久將亡。

二、爲諷刺戲謔

（三）子入太廟，每事問。或曰，「孰謂鄹人之子知禮乎？入太廟，每事問。」（論語八佾）注裏說：「孔子自少以知禮聞，故或人因此譏之。」所謂「鄹人之子」就等於現在說什麼老什麼老一類的話。

（四）扛喪鬼看見，嚇得面如土色，忙問道，「這是什麼鬼？爲着何事？被誰打死的？」有認得的說道，「這是前村催命鬼的酒肉兄弟，叫做破面鬼。正詐酒三分醉的在戲場上耀武揚威，橫衝直撞的罵海罵山，不知撞了荒山裏的黑漆大頭鬼，恰正釘頭碰着鐵頭，兩個牛頭高，馬頭高，長洲弗讓吳縣的就打起來了。可笑這破面鬼枉自長則金剛大則佛，又出名的大力氣，好拳棒，誰知撞了黑漆大頭鬼，也就經不起三拳兩脚，一樣跌倒地下，想拳經不起來了。」（何典二）所謂「跌倒地下，想拳經不起來了」，就是說死了。

三、爲增強語意

（五）這時候他學的是那異樣的大鷲的垂頭，在我們跟前就站着我們平常在萬牲園裏見慣的雷神的大禽。（徐志摩譯天才）所謂「雷神的大禽」，就是說的「大鷲」。

（六）杞子自鄭使報於秦，曰，「鄭人使我掌其北門之管。若潛師以來，國可得也。」穆公訪諸蹇叔。蹇叔曰，「勞師以襲遠，非所聞也。……」公辭焉。召孟明、西乞、白乙，使出師于東門之外，蹇叔哭之曰，「孟子，吾見師之出，而不見其入也！」公使謂之曰，「爾何知？中壽，爾墓之

木拱矣！』（左傳僖公三十二年）

所謂『爾何知？中壽，爾墓之木拱矣』，就是說他老昏。

四、爲文飾辭面——這種純爲文飾辭面的折繞，在我們一般口語中，或較通俗的文章中，常常會見到的，現在舉幾個比較自然的在下面：

（七）『畫餅』就是我們的午餐。

就是說午餐無着。

（八）讓你睡下去夢見古來一切的餓死鬼罷。

就是說讓你睡下去餓死罷。

（九）這是化學上的玩意：是 H_2O 燒到列氏表八十度就得了。別名又叫做——白茶。

就是說：這是白開水。

十 轉品

說話上把某一類品詞移轉作別一類的品詞來用的，名叫轉品。中國語文上普通分詞爲九類，就是：（1）名詞，（2）代詞，（3）動詞，（4）形容詞，（5）副詞，（6）介詞，（7）連詞，（8）助詞，（9）歎詞。這是現在一般的分法，將來研究更深入，可能有另外的分法。分類的標準也可能用另外的標準，我們以爲可以依據詞的組織功能分，這里且不詳說。但可斷言：詞都可以分類，詞也必須分類，某詞屬於某類或某某類，也都可以一一論定。修辭上有意從這一屬類轉成別一屬類來用的，便是轉品辭。轉品有可以從情境上判別的，也有可以從習慣上判別的。例如莊子秋水篇：

惠子相梁，莊子往見之。或謂惠子曰，『莊子來，欲代子相。』於是惠子恐，搜於國中，三日三夜。莊子往見之，曰：『南方有鳥，其名鵷鶵，子知之乎？夫鵷鶵發於南海，而飛於北海，非梧桐不止，非練實不食，非醴泉不飲；於是鴟得腐鼠，鵷鶵過之，仰而視之，曰，「嚇！」今子欲以子之梁國而嚇我邪？』

這里第一個『嚇』字是歎詞，第二個『嚇』字是動詞，而第二個『嚇』字卻是從第一個『嚇』字帶出來的，這第二個『嚇』字便是一個轉品辭。又如論語公冶長篇『斯焉取斯』句朱熹注：

上斯斯此人，下斯斯此德。

這里第一第三兩個『斯』字是代詞，第二第四兩個『斯』字是動詞，而第二第四兩個『斯』字也是從第一第三兩個『斯』字帶出來的，也是轉品辭。再如孟子告子篇：

彼白而我白之。

這里第二個『白』字也是從第一個『白』字帶出來的，而第一個『白』字爲形容詞，第二個白字爲動詞，這用爲動詞的『白』字也是一個轉品辭。像這些拈連帶用的轉品，是可以從用詞的情境上判定的。此外不能從情境上判定，但從用詞的習慣上仍可判定它是轉品的也很多，現在略舉幾個例在下面。例如左傳定公十年：

公若曰，『爾欲吳王我乎？』

『吳王我』意思是說教我做吳王，是把名詞轉作動詞用。如孟子萬章下：

繆公之於子思也，亟問，亟餽鼎肉。子思不悅，曰，『今而後知君之犬馬畜伋。』

『犬馬畜伋』是說餵狗餵馬一樣地餵子思，是把名詞轉作副詞用。再如孟子離婁上：

有不虞之譽，有求全之毁。

『譽』『毁』也是習慣上作動詞用，此地卻作名詞用。這些都是轉品辭。

這類轉品辭如果運用得當，頗可使語辭簡潔生動（自然用得不得當，也會使語辭晦澀費解），使人對它發生一種特殊的興趣。如太平廣記二百四十五引啓顏錄：

晉王戎妻語戎爲卿。戎謂曰，『婦那得卿壻？』答曰，『我親卿愛卿，是以卿卿；我不卿卿，誰當卿卿？』

這里三個『卿卿』，下面一個『卿』字都是代詞，上面一個『卿』字都是轉品的動詞。用法也極尋常，但因用得合拍，便覺異樣生動，終至歷代流傳爲親暱的稱謂。所以轉品辭法向來受人注意，甚或將它硬用。如明張岱著的陶菴夢憶一書便不知有多少處是硬用這種辭法的。

這類轉品用法，一向叫做實字虛用，虛字實用。有時也簡稱虛實。一向所謂虛實，或實字虛用，虛字實用，多不過是名詞和動詞的轉品。常引的例，如『春風風人，夏雨雨人』（說苑貴德篇），上面的『風』字『雨』字就是所謂實字，下面的『風』字『雨』字就是所謂實字虛用；又如『解衣衣我，推食食我』（史記淮陰侯傳），上面的『衣』字『食』字就是所謂實字，下面的『衣』字『食』字就是所謂實字虛用。這是實字虛用的例。再如『步』作『行』解，就是所謂虛字，而把『步』用爲度名，如云『六尺爲步』（史記秦始皇紀），『步』又就是所謂虛字實用；又如『覆』作『敗』解，就是所謂虛字，而把『覆』用爲兵名，如云『君爲三覆以待之』（左傳隱公九年），把設伏以敗人之兵的伏兵叫作『覆』，『覆』又就是所謂虛字實用。這是虛字實用的例。以上所謂實字虛用，虛字實用，都把名詞叫作實字，把動詞叫作虛字；所謂實字虛用，虛字實用，都就是名詞用作動詞，動詞用作名詞，也都就是名詞和動詞的轉品。實際轉品並不限於名詞和動詞。又轉品，也不止是文言中可以用，語體文及口頭語上也是可以用的。如：

那個病人只『哼』了一聲，就斷了氣。

那個小孩光着身子在晒太陽。

這兩句中的『哼』『光』等字便也是轉品詞。不過語體文及口頭語上的轉品，常常要加上添接字。如『看』『想』等動詞要轉成名詞，便要加上名詞常用的添接字如『頭』『子』等字，作『看頭』『想頭』等。又如『車』『袋』等名詞要轉成動詞也要加上動詞常用的添接字如『起』『開』『着』『了』等字，作『車起』『車開』『袋着』『袋了』等。像這里所引的兩個，便是一個加上『了』字，一個加上『着』字的例。

十一　回文

回文也常寫作迴文，是於轉品之外，極求詞序有迴環往復之趣的一種措辭法。詩苑類格載唐上官儀曾說『詩有八對』。其『七曰回文對；情新因意得，意得逐情新，是也』。這樣的回文，無異於近年所謂『國語的文學，文學的國語』及『從文學革命到革命文學』。除了詞序迴環，同時帶着詞品轉換之外，更無什麼做作。在散文中，也常可以見到。而且出現得頗早。單單老子一書，便有不少的例。如：

善人者不善人之師，不善人者善人之資。（二十七章）

知者不言，言者不知。（五十六章）

信言不美，美言不信。（八十一章）

善者不辯，辯者不善。（同上）

知者不博，博者不知。（同上）

後來有人好奇，定要做到詞序完全可以不拘，無論順讀、倒讀，都可成文，這便成了一種稀奇的文體。這種稀奇的文體，總名叫做回文體。詩、詞、曲，都曾經有過。詩就叫做回文詩；詞就叫做回文詞；曲就叫做回文曲。如王臨川集中，便有碧蕪、夢長等回文詩好幾首。

詩體不一，而回文尤異。自蘇伯玉妻盤中詩爲肇端，竇滔妻作璇璣圖而大備。（見回文類聚序）文心雕龍明詩篇說：『回文所興，道原爲始』，但道原姓什麼，什麼時代人，都無從查考，大概劉勰說的也不一定對（參看趙翼陔餘叢考二十三），看來還不及淸朱存孝說的確實而簡括。存孝說：

原來是幾個太太創造出來的花樣。創造的原因，大體相同，都是因爲同男人分離得太久了，思念男人，造這玩意兒寄給他看的。蘇伯玉的太太，我們不知道她姓甚名誰，也不知道她是漢代人不是。只知盤中詩的本事是『伯玉被使在蜀，久而不歸；其妻居長安，思念之，因作此詩』。盤中詩『從中央周四角』的排列如下圖：『山樹高，鳥鳴悲。泉水深，鯉魚肥。……』。

相傳是伯玉出使在蜀，久不回家，太太把詩寫在盤中寄給他的，所以叫做『盤中詩』。詩的寫法，如圖，屈曲成文，從中央以周四角，含宛轉回環的意思。據說伯玉看了以後，就感悟而回來了。

但盤中詩實際還不是正式的回文，因爲它還不能回讀。不過詞序上的經營，也同後來的回文有些相似，故也不妨說是回文的先導，即『肇端』。回文是以竇滔太太的璇璣圖爲最著名。太太姓蘇，名蕙，字若蘭。所作回文詩，係以八百四十一字，排成縱橫各爲二十九字的方圖，迴環反復讀起來，可得詩三千七百五十二首。它的本事，同盤中詩很相似。據晉書列女傳說是『滔被徙流沙，蘇氏思之，織錦爲迴文旋圖詩以贈滔，宛轉循環以讀之，詞甚悽惋』。據唐武則天序中說，是由於家庭糾紛的關係，竇滔同蘇氏斷絕音信，蘇氏悔恨自傷，因織錦爲回文，五綵相宜，瑩心耀目，縱橫反復，皆成文章，名叫璇璣圖，叫人送到襄陽。這時竇滔正留鎮襄陽，看了之後，非常感動，就把蘇氏接到任上去。這兩說說的事實不完全相同，我們也不知道到底哪一說是，不過普遍大概相信後一說。現在舉圖中的一個例如下：

仁智懷德聖虞唐，貞志篤終誓穹蒼，欽所感想忘淫荒，心憂增慕懷慘傷。

傷慘懷慕增憂心，荒淫忘想感所欽，蒼穹誓終篤志貞，唐虞聖德懷智仁。

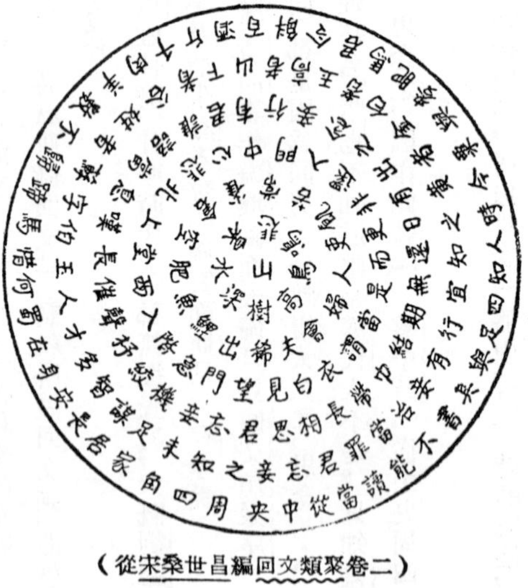

（從宋桑世昌編回文類聚卷二）

蘇蕙的璇璣圖在回文中幾乎可說是空前絕後的巨製（鏡花緣四十一回曾經標題爲『奇圖』，加以高度的贊揚），但其內容被形式牽制，卽所謂『窘縛刺促』的形景，也還了然可指。回文實在是難能而並不怎麼可貴的東西。不過它也是中國語言文字的可能性——詞序方面一種有意的嘗試，其成就如何，也像意大利未來派的自由語運動似地，頗可供我們借鑑。

回文除了種種詞序上的經營之外，也曾發展到墨色的運用和字形的離合的運用。但大都不脫詞序的運用。其脫離詞序的運用的便是另外一種文體。從前有人把所謂『以意寫圖，使人自悟』的『神智體』也混同作爲回文體（見回文類聚卷三）。其實神智體是字形大小，筆畫多少，位置正反，排列疏密等等的利用，不是詞序的利用，與回文其實不同。宋蘇軾（東坡）有過神智體晚眺一首。詩是：

長亭短景無人畫，老大橫拖瘦竹筇。回首斷雲斜日暮，曲江倒蘸側山峯。

卻寫作

亭景畫　老筇　首雲暮　江蘸峰　（據東坡問答錄）

據說是他寫了去爲難人的：

神宗熙寧間，北朝使至，每以能詩自矜，以詰翰林諸儒。上命東坡館伴之，北使乃以詩詰東坡。東坡曰，『賦詩，亦易事也；觀詩稍難耳。』遂作晚眺詩以示之。北使惶愧莫知所云，自後不復言詩矣。（據回文類聚卷三）

這種神智體詩，現今民間也還有流傳，而且也還帶有爲難人的性質。

第八篇　積極修辭四

丁類　章句上的辭格

一　反復

用同一的語句，一再表現強烈的情思的，名叫反復辭。人於事物有熱烈深切的感觸時，往往不免一而再，再而三地反復申說，而所有一而再，再而三顯現的形式，如街上的列樹，慶節的提燈，也往往能夠給與觀者一種簡純的快感，修辭上的反復就是基於人類這種心理作用而成。

反復辭的用法有連接的和隔離的兩種。

（一）鄉者，僕常廁下大夫之列，陪外廷末議，不以此時引維綱，盡思慮，今以虧形爲埽除之隸，在闒茸之中，乃欲仰首伸眉，論列是非，不亦輕朝廷，羞當世之士邪！嗟呼嗟呼！如僕，尚何言哉，尚何言哉！（司馬遷報任少卿書）

（二）桓公九合諸侯，不以兵車，管仲之力也，如其仁，如其仁。（論語子路）

（三）子曰，『視其所以，觀其所由，察其所安，人焉廋哉，人焉廋哉！』（論語爲政）

（四）昔者有饋生魚於鄭子產，子產使校人畜之池。校人烹之，反命曰，『始舍之，圉圉焉，少則洋洋焉，攸然而逝。』子產曰，『得其所哉，得其所哉！』（孟子萬章上）

這是連接的反復。

（五）從浦口山上發脈，一個墩，一個砲；一個墩，一個砲，一個墩，一個砲，彎彎曲曲，骨裏骨碌，一路接着滾了來。滾到縣裏周家岡，龍身跌落過峽，又是一個墩，一個砲；骨骨碌碌幾十個砲趕了來，結成一個穴情，這穴情叫做『荷花出水』。（儒林外史第四十五回）

（六）子曰，『予欲無言。』子貢曰，『子如不言，則小子何述焉。』子曰，『天何言哉，四時行焉，萬物生焉，天何言哉。』（論語陽貨篇）

（七）黃鵠參天飛，半道鬱徘徊。腹中車輪轉，君知思憶誰？
黃鵠參天飛，半道還哀鳴。三年失羣侶，生離傷人情。
黃鵠參天飛，凝翮爭風回。高翔入玄闕，時復乘雲頹。
黃鵠參天飛，半道還後渚。欲飛復不飛，悲鳴覓羣侶。（黃鵠曲）

這是隔離的反復。

二　對偶

說話中凡是用字數相等，句法相似的兩句，成雙作對排列成功的，都叫做對偶辭。對偶這一格，從它的形式方面看來，原來也可說是一種句調上的反復；故也有人將它併入反復格；而從它的內容看來，又貴用相反的兩件事物互相映襯，如劉勰所謂『反對爲優，正對爲劣』（文心雕龍麗辭篇），故又有人將它併入映襯格。但對偶所以成立，在形式方面實是普通美學上的所謂均齊，而內容方面也非全然由於映襯的句法構成，無論把它併入反復或併入映襯都覺得不很合適，因此現在仍舊讓它獨立了。

這格的成例如下：

（一）有情皮肉，無情杖子。（水滸第六十一回）

（二）白髮無情侵老境，青燈有味似兒時。（陸游秋夜讀書詩）

（三）滿招損，謙受益。（書經大禹謨）

（四）君子周而不比，小人比而不周。（論語爲政篇）

（五）生則天下歌，死則天下哭。（荀子解蔽篇）

（六）出自幽谷，遷於喬木。（詩經小雅伐木篇）

（七）誨爾諄諄，聽我藐藐。（詩經大雅抑篇）

（八）不在其位，不謀其政。（論語泰伯篇）

（九）決九川，距四海。（書經益稷篇）

（十）聖人不死，大盜不止。（莊子胠篋篇）

照例看來，可見對偶並不限於映襯，此處（六）例以下的幾個例便都是連貫的，不是映襯的。

這種辭格曾經有過畸形的發達的時期，如劉知幾所謂『其爲文也，大抵編字不隻，捶句皆雙，修短取均，奇偶相配。故應以一言蔽之者輒足爲二言，應以三句成文者必分爲四句』（史通敘事篇）。就是最近也還有人硬用對偶辭來下判決，打電報，使人覺得極其不自然。因此『五四』前後文化學術界在各刊物上鼓吹文學改革的時候，曾經針對時病，對於這種現象進行過嚴格的批判，認爲應當『不講

對仗」或者對偶不對偶任其自然

三　排比

同範圍同性質的事象用了結構相似的句法逐一表出的，名叫排比。排比和對偶，頗有類似處，但也有分別：（一）對偶必須字數相等，排比不拘；（二）對偶必須兩兩相對，排比也不拘；（三）對偶力避字同意同，排比卻以字同意同爲經常狀況。實例如下：

（一）王聞書之言，惕若恐懼，退而爲戒書：於席之四端爲銘焉，於机爲銘焉，於鑑爲銘焉，於盥盤爲銘焉，於楹爲銘焉，於杖爲銘焉，於帶爲銘焉，於履屨爲銘焉，於觴豆爲銘焉，於戶爲銘焉，於牖爲銘焉，於劍爲銘焉，於弓爲銘焉，於矛爲銘焉。（大戴禮記武王踐阼篇；王爲武王，書指上文丹書。）

（二）無惻隱之心，非人也；無羞惡之心，非人也；無辭讓之心，非人也；無是非之心，非人也。（孟子公孫丑上）

（三）不爲不可成，不求不可得，不處不可久，不行不可復。（管子牧民篇）

（四）天有情，天亦老，春有意，春須瘦。雲無心，雲也生愁。（喬孟符揚州夢雜劇第一折）

這種排比，約可別爲兩類：一爲本來可以括舉而今故意列舉的，如例（一）例（二）；二爲本來只可以列敍的，如（三）（四）等例。第一類如例（一）本可寫作「於席、机、鑑……爲銘焉」，於今却寫作「於席之四端爲銘焉，於机爲銘焉」云云，目的蓋在使列舉的各端各各受人特別注意。又頗便於用在事忙情急，不及概括統總的話中。但前人或者不曾顧及此等目的或情況，對於此類排比頗加排斥，如：

（五）季孫行父禿，晉郤克眇，衞孫良夫跛，曹公子手僂，同時而聘於齊。齊使禿者御禿者，使眇者御眇者，使跛者御跛者，使僂者御僂者。（穀梁成公元年）

劉知幾便說太煩贅了，應除『禿者』以下諸字，作『各以類逆』（史通敘事篇）。其實此等簡鍊主義，斷然難以使人心服；所以知幾這話，魏際瑞就批評說：這樣簡是簡了，可是『神情特不生動』了（伯子論文）。第二類，以前似乎不曾出過問題，現在可不必詳論。只有關於排比全體，有前人已經論及的一端，或者可以略加注意：就是此類排比往往每句參有幾個相同的字。因此，陳騤以下常有專於著眼在這一點的議論，說什麼『文有數句用一類字，所以壯文勢、廣文義也』（文則卷下庚條）。

實際上所謂『用一類字』，如：

（六）有弗學，學之弗能，弗措也。有弗問，問之弗知，弗措也。有弗思，思之弗得，弗措也。有弗辨，辨之弗明，弗措也。有弗行，行之弗篤，弗措也。（中庸）

每句同有『之』『弗』『也』等字，雖然是排比格中所常見的，卻也只是排比中一面的現象。關乎這面現象的實例，文則中舉的很多，這里可以不再羅列了。

排比格中也有只用兩句互相排比的，這與對偶最相類似，可與對偶參看：

（七）我有所念人，隔在遠遠鄉；我有所感事，結在深深腸。（白居易夜雨詩）

（八）挽弓當挽強，用箭當用長。射人先射馬，擒賊先擒王。（杜甫前出塞九首之六）

層遞是將語言排成從淺到深，從低到高，從小到大，從輕到重，層層遞進的順序的一種辭格。其成立必須有（一）要說的有兩個以上的事物；（二）這些事物又有輕重大小等比例；而且（三）比例又有一定的程序。例如：

（一）天時不如地利，地利不如人和。（孟子公孫丑下）

（二）古之欲明明德於天下者，先治其國；欲治其國者，先齊其家；欲齊其家者，先修其身；欲修其身者，先正其心；欲正其心者，先誠其意；欲誠其意者，先致其知；致知在格物。（大學）

（三）太上不辱先；其次不辱身；其次不辱理色；其次不辱辭令；其次詘體受辱；其次易服受辱；其次關木索被箠楚受辱；其次剔毛髮嬰金鐵受辱；其次毀肌膚斷肢體受辱；最下腐刑極矣。（司馬遷報任少卿書）

以上三例，（一）是三層，（二）是八層，（三）是十層，都是一而二，二而三，從輕小而到重大，如陳騤所謂『上下相接，若繼踵然』（文則卷上丁）；最後的第三例，因爲要說腐刑的極辱，且從不辱一面說起，進了四層，再從受辱一面逐層遞進：目的都在使讀聽者的感觸逐漸達到頂點。

有人說層遞辭中也有從大到小，從重到輕等等的用法，如：

（四）凡花，一年只開得一度，四時中只占得一時，一時中只占得數日。他熬過了三時的冷淡，纔得這數日的風光。（今古奇觀卷八）

但這例其實是從輕到重的層遞，因爲想要極言這數日的可貴，纔從那一年四時說起。倘眞有意排成從大到小、從重到輕的層次，那便是倒層遞，是倒用層遞的一種非常辭法，除有特別作用教人懷疑發笑大抵不用。如下列一例，趙威后的歲民王的倒層遞便是爲了教人懷疑發問，造成發議論的機會而用的：

（五）齊王使使者問趙威后。書未發，威后問使者曰，『歲亦無恙耶？民亦無恙耶？王亦無恙耶？』使者不悅曰，『臣奉使使威后，今不問王，而先問歲與民。豈先賤而後尊貴者乎？』威后曰，『不然。苟無歲，何有民？苟無民，何有君？故有問舍本而問末者耶？』乃進而問之曰，『齊有處士曰鍾離子無恙耶？是其爲人也，有糧者亦食，無糧者亦食，有衣者亦衣，無衣者亦衣；是助王養其民也，何以至今不業也？葉陽子無恙乎？是其爲人，哀鰥寡，䘏孤獨，振困窮，補不足；是助王息其民者也，何以至今不業也？北宮之女嬰兒子無恙耶？徹其環瑱，至老不嫁，以養父母；是皆率民而出於孝情者也，胡爲至今不朝也？此二士弗業，一女不朝，何以王齊國子萬民乎？』（戰國策齊策四）

五　錯綜

凡把反復、對偶、排比、或其它可有整齊形式，公同詞面的語言，說成形式參差，詞面別異的，我們稱爲錯綜。構成錯綜，大約有四類重要方法：

第一、抽換詞面

第二、交蹉語次

第三、伸縮文身

第四、變化句式

第一，抽換詞面是將詞面略爲抽動使得說話前後不同。如抽換反復的有：

（一）好施捨的，必得豐裕；滋潤人的，必得滋潤。（舊約箴言十一之二十五）

（二）彼其道幽遠而無人，……吾無糧，我無食，安得而至焉？（莊子山木篇）

抽換排比的有：

（三）王后蠶於北郊，以供純服。……夫人蠶於北郊，以供冕服。（禮記祭統篇，鄭注『純服亦冕服也，互言之爾。』）

（四）仁有數，義有長短大小。（禮記表記篇，鄭注『數與長短小大，互言之耳。』）

圓點點出處都是原來可用同一詞面的，而今都被錯綜了。

第二，交蹉語次是將語詞的順序裝得前後參差，使得說話前後不同。如在反復有：

（五）他的上面，罩着一片裝飾着輝煌的月和閃爍的星的深遠無限的太空；他的下面，在幽靜透明的池塘裡，也展開着一片深遠無限的太空，裝飾着閃爍的星和輝煌的月。

在對偶有：

（六）王何必曰利，亦有仁義而已矣。……王亦曰仁義而已矣，何必曰利？（孟子梁惠王上）

（七）裙拖六幅湘江水，鬟聳巫山一段雲。（李群玉贈鄭相井歌姬詩）

在排比有：

（八）猿獼猴錯木據水，則不若魚鼈；歷險乘危，則騏驥不如狐狸。（戰國策齊策三；『騏驥』兩字，不在『歷險』兩字上頭。）

（九）疾風而波興，木茂而鳥集。（淮南子主術篇；是『疾風』『木茂』，不是『風疾』『木茂』。）

（十）附枝大者賊本心，私家盛者公室危。（漢書蕭望之傳雨雹疏）

（十一）問國君之富，數地以對；……問士之富，以車數對；問庶人之富，數畜以對。（禮記曲禮下；中間一句不是『數車以對』。）

（十二）見齊衰者，雖狎必變，見冕者，與瞽者，雖褻必以貌。凶服者式之，式負版者。有盛饌，必變色而作。迅雷風烈，必變。（論語鄉黨篇）

（十三）髡曰：『今者，臣從東方來，見道傍有禳田者，操一豚蹄，酒一盂，而祝曰：甌窶滿篝，汙邪滿車，五穀蕃熟，穰穰滿家，臣見其所持者狹，而所欲者奢，故笑之。（史記滑稽列傳）

本來這點出處也可以有相同相似的形式，而今也被錯綜了。

第三，伸縮文身是用長句短語交相錯雜，使語文發生變化的方法。如反復的例：

（十四）約瑟是多結果子的樹枝，是泉旁多結果子的樹枝，他的枝條探出牆外。（舊約創世紀四十九之二十二）

（十五）驚駭恐懼臨到他們。……他們如石頭寂然不動，等候你的百姓渡過去，等候你所救贖的百姓渡過去。（舊約出埃及記十五之十六）

（十六）今有一人，入人園圃，竊其桃李，衆聞則非之，上爲政者得則罰之。此何也？以虧人自利也。至攘人犬豕雞豚者，其不義又甚入人園圃竊桃李。是何故也？以虧人愈多，其不仁茲甚，罪益厚，至入人欄廄，取人馬牛者，其不仁義又甚攘人犬豕雞豚。此何故也？以其虧人愈多，其不仁茲甚，罪益厚。至殺不辜人也，拖其衣裘，取戈劍者，其不義又甚入人欄廄取人馬牛。此何故也？以其虧人愈多；苟虧人愈多，其不仁茲甚矣，罪益厚。當此，天下之君子皆知而非之，謂之不義。今至大爲不義攻國，則弗知非，從而譽之謂之義。此可謂知義與不義之別乎？（墨子非攻上）

排比的例：

（十七）孟子曰：『王之好樂甚，則齊國其庶幾乎』！他日見於王曰：『王嘗語莊子以好樂，有諸』？王變乎色，曰：『寡人非能好先王之樂也，直好世俗之樂耳』！曰『王之好樂甚，則齊國其庶幾乎！今之樂由古樂也。』（孟子梁惠王下）

（十八）大凡物不得其平則鳴。草木之無聲，風撓之鳴；水之無聲，風蕩之鳴，其躍也或激之，其趨也或梗之，其沸也或炙之；金石之無聲，或擊之鳴。（韓愈送孟東野序）

這樣，或於簡短句子之後，承以較長句子，或於較長句子之後，頓以簡短句子的，都是這一種錯綜法。

第四，變化句式是雜用各種句式，例如肯定句和否定句，直敍句和詢問句、感歎句之類，來形成錯綜的一種方法。如：

（十九）孟子見梁惠王。王立於沼上，顧鴻鴈麋鹿。曰，『賢者亦樂此乎？』孟子對曰，『賢者而後樂此，不賢者雖有此不樂也。』（孟子梁惠王上）

便是用肯定句和否定句相錯綜。如：

（二十）那些老婆子們都老天拔地，伏侍了一天，也該叫他們歇歇；小丫頭們也伏侍了一天，這會子還不叫他們頑頑去麼？（紅樓夢第二十回）

（二十一）古之人與民偕樂，故能樂也。湯誓曰：『時日害喪，予及汝偕亡』，民欲與之偕亡，雖有臺池鳥獸，豈能獨樂哉？（孟子梁惠王上）

便是用直敍句和詢問句相錯綜。

以上四類方法，當然不一定要單獨使用；先後換用這類或那類，使錯綜的方式本身也有一些錯綜變化，當然也是可以的。如下文所列便是並用第一、第三、第四、三類方法的一例：

（二十二）聖人以治天下爲事者也，不可不察亂之所自起。當察亂何自起，起不自愛。臣子之不孝君父，所謂亂也。子自愛，不愛父，故虧父而自利；弟自愛，不愛兄，故虧兄而自利；臣自愛，不愛君，故虧君而自利：此所謂亂也。雖父之不慈子，兄之不慈弟，君之不慈臣：此亦天下之所謂亂也。父自愛也，不愛子，故虧子而自利；兄自愛也，不愛弟，故虧弟而自利；君自愛也，不愛臣，故虧臣而自利。是何也？皆起不相愛。雖至天下之爲盜賊者亦然。盜愛其室，不愛其異室，故竊異室以利其室；賊愛其身，不愛人，故賊人以利其身。此何也？皆起不相愛。雖至大夫之相亂家，諸侯之相攻國者亦然。大夫各愛其家，不愛異家，故亂異家以利其家；諸侯各愛其國，不愛異國，故攻異國以利其國。天下之亂物，具此而已矣。察此何自起，皆起不相愛。（墨子兼愛上）

文中如『是何也』和『此何也』的變化就是抽換詞面，『子自愛』等等和『父自愛也』等等的變化就是伸縮文身，『此何也？皆起不相愛』和『察此何自起，皆起不相愛』的變化就是參用詢問句和直敍句。此外也還有運用此等錯綜方法的處所，讀者細看自知。又如下面所列又是參用第一、第二、第三、第四、四類方法的一例：

（二十三）鄒忌脩八尺有餘，而形貎（同貌）昳麗。朝服衣冠窺鏡，謂其妻曰，『我孰與城北徐公美？』其妻曰，『君美甚，徐公何能及君也！』城北徐公，齊國之美麗者也。忌不自信，而復問其妾曰，『吾孰與徐公美？』妾曰，『徐公何能及君也！』旦日，客從外來，與坐談，問之：『吾與徐公孰美？』客曰，『徐公不若君之美也。』明日，徐公來，孰視之，自以爲不如。窺鏡而自視，又弗如遠甚。暮寢而思之，曰，『吾妻之美我者，私我也；妾之美我者，畏我也；客之美我者，欲有求於我也。』於是入朝，見威王曰，『臣誠知不如徐公美；臣之妻私臣，臣之妾畏臣，臣之客欲有求於臣，皆以美於徐公。今齊地方千里，百二十城；宮婦左右莫不私王，朝廷之臣莫不畏王，四境之內莫不有求於王，由此觀之，王之蔽甚矣。』王曰，『善！』乃下令：『羣臣吏民能面刺寡人之過者，受上賞；上書諫寡人者受中賞；能謗譏於市朝，聞寡人之耳者，受下賞。』令初下，羣臣進諫，門庭若市；數月之後，時時而間進；朞年之後，雖欲言無可進者。燕趙韓魏聞之，皆朝於齊。此所謂戰勝於朝廷。（戰國策齊策一）

文中如『我孰與城北徐公美』和『吾孰與徐公美』的變化就是抽換詞面，伸縮文身，『吾孰與徐公美』和『吾與徐公孰美』的變化就是交蹉語次，『徐公何能及君也』和『徐公不若君之美也』就是變化句式，此外也還有運用此等錯綜的地方，也只要細看便可看出。

文中運用此等錯綜，目的蓋在避免說話的單調和平板。說話有時原也需要反復等等類似辭，但若類似處太多，卻也容易使人生厭；此時可以調濟它的，便是錯綜辭法。用了錯綜辭法，則同中有異，單調平板等毛病便自消滅了。這種辭法的重要，我以爲至少不在對偶下。

附記——

本格第一類錯綜，以前稱爲『互文』或『互辭』。如劉知幾著史通，在雜說下篇錄了隋人姚士會（最）梁後略述高祖語『得既在我，失亦在予』，說『變我稱予，互文成句，求諸人語，理必不然』，所以有此句法，由於當時『儷詞盛行，語須對偶』。又如顧炎武日知錄卷二十四互辭條下說『易〔蠱〕「幹父之蠱，有子考无咎」，言「父」又言「考」。書〔仲虺之誥〕「予恐來世，以台爲口實」，言「予」又言「台」，……皆互辭也。』

第二類的錯綜，名稱和議論更多，其議論大都爲衞護錯綜辭格而發。如沈括（存中）所謂『相錯成文』：

韓退之集中羅池神碑銘有『春與猿吟兮秋與鶴飛』。今驗石刻，乃『春與猿吟兮秋鶴與飛』。古人多用此格，如楚辭『吉日兮辰良』。又『蕙殽蒸兮蘭藉，奠桂酒兮椒漿』（俱見九歌）。蓋欲相錯成文，則語勢矯健耳。（夢溪筆談卷十四）

陳善所謂『錯綜其語』：

楚辭以吉日對辰良，以蕙殽蒸對奠桂酒，沈存中云，此是古人欲錯綜其語，以爲矯健故耳。余謂此法本自春秋。春秋（僖十六）書『隕石於宋五，是月六鷁退飛過宋都』，說者皆以石、鷁、五、六、先後爲義，殊不知聖人文字之法，正當如此。且如旣曰隕石於宋五，又曰退飛鷁於宋六，豈成文理？故不得不錯綜其語，因以爲健也。楚辭正用此法。其後韓退之作羅池碑曰，『春與猿吟兮秋鶴與飛』，以『與』字上下言之，蓋亦欲語反而辭健耳。今羅池碑石刻古本如此，而歐陽公以所得李生昌黎集較之，只作『秋與鶴飛』，遂疑石本爲誤，惟沈存中爲始得古人之意，然不知其法自春秋出。（捫蝨新話卷五）

嚴有翼所謂『蹉對』：

僧惠洪冷齋夜話載：介甫詩云『春殘葉密花枝少，睡起茶多酒盞疏』，『多』字當作『親』，世俗轉寫之誤。洪之意蓋欲以『少』對『密』，以『疏』對『親』。余作荆南教官，與江朝宗匯者同僚，偶論及此，江云，『惠洪多妄誕，殊不曉古人詩格。此一聯以「密」字對「疏」字，以「多」字對「少」字，正交股用之，所謂蹉對法也。』（藝苑雌黃；據漁隱叢話後集二十五所引）

此外如陳繹曾文說所謂『拗語』之類，內容也是大同小異，無非議論側重錯綜，例證偏乎對偶，我們可以不必多引了。第三第四類的錯綜，在我國書中我還不曾發見誰曾談到過它們。

六　頂眞

頂眞是用前一句的結尾來做後一句的起頭，使鄰接的句子頭尾蟬聯而有上遞下接趣味的一種措辭法。多見於歌曲。如翟義門人作的平陵東：

平陵東，松柏桐，不知何人劫義公。劫義公，在高堂下，交錢百萬兩走馬。兩走馬，亦誠難，顧見追吏心中惻。心中惻，血出漉，歸告我家賣黃犢。（見宋書樂志三；樂府古題要解說：『此漢翟義門人所作也。義爲丞相方進之少子，字文中，爲東郡太守。以王莽簒漢，起兵誅之，不克而見害，門人作歌以悲之。』）

又如李白送劉十六歸山的白雲歌：

楚山秦山皆白雲。白雲處處長隨君。長隨君，君入楚山裏，雲亦隨君渡湘水。湘水上，女羅衣，白雲堪臥君早歸。

都是這一格。

這格約有兩式：（1）是每句蟬聯的，如上面所舉的兩例，這有人稱爲聯珠格；（2）是單單章和章中間的一句蟬聯的，這有人稱爲連環體。兩式都是詩經上便已經有了萌芽，（如大雅既醉篇便是兩種萌芽備具的一篇。如既醉二章結尾說『介爾昭明』，三章起頭說『昭明有融』，又三章結尾說『公尸嘉告』，四章起頭說『其告維何』，又四章結尾說『攝以威儀』，五章起頭說『威儀孔時』，如此蟬聯，直到八章，都用所謂連環體。中間又有兩處參用所謂聯珠格，如三章二句說『高朗令終』，三句說『令終有俶』，又五章二句說『君子有孝子』，三句說『孝子不匱』，便都是所謂聯珠格），但都不及後代的完整。現在舉幾個著名的例於下：

他，他，他，傷心辭漢主；我，我，我，攜手上河梁。他部從，入窮荒；我鑾輿，返咸陽。返咸陽，過宮牆；過宮牆，繞迴廊；繞迴廊，近椒房；近椒房，月昏黃；月昏黃，夜生涼；夜生涼，泣寒螿；泣寒螿，綠紗窗；綠紗窗，不思量。呀！不思量，除是鐵心腸；鐵心腸，也愁淚滴千行。（馬致遠漢宮秋雜劇第三折）

桃花冷落被風飄，飄落殘花過小橋。橋下金魚雙戲水，水邊小鳥理新毛。毛衣未溼黃梅雨，雨滴紅梨分外嬌。嬌姿常伴垂楊柳，柳外雙飛紫燕高。高閣佳人吹玉笛，笛邊鸞線掛絲縧。縧結玲瓏香佛手，手中有扇望河潮。潮平兩岸風帆穩，穩坐舟中且慢搖。搖入西河天將晚，晚窗寂寞歎無聊。聊推紗窗觀冷落，落雲渺渺被水敲。敲門借問天台路，路過西河有斷橋，橋邊種碧桃。（白雪遺音選桃花冷落）

以上是第一式。這式比第二式用得更多更完整。在歌謠中往往有全首句句蟬聯，連末一句也繞接頭一句，形成一種循環無端的形式的，如這桃花冷落便是一個例。

謁帝承明廬，逝將歸舊疆。清晨發皇邑，日夕過首陽。伊洛廣且深，欲濟川無梁。汎舟越洪濤，怨彼東路長。顧瞻戀城闕，引領情內傷。——太谷何寥廓！山樹鬱蒼蒼。霖雨泥我塗，流潦浩縱橫。中逵絕無軌，改轍登高岡。修坂造雲日，我馬玄以黃！玄黃猶能進，我思鬱以紆。鬱紆將何念？親愛在離居。本圖相與偕，中更不克俱。鴟梟鳴衡軛，豺狼當路衢。蒼蠅間白黑，讒巧令親疏。欲還絕無蹊，攬轡止踟躕。踟躕亦何留？相思無終極。秋風發微涼，寒蟬鳴我側。原野何蕭條！白日忽西匿。歸鳥赴喬林，翩翩厲羽翼。孤獸走索羣，銜草不遑食。感物傷我懷，撫心長太息。太息將何爲？天命與我違！奈何念同生，一往形不歸！孤魂翔故域，靈柩寄京師。存者忽復過，亡沒身自衰。人生處一世，去若朝露晞。年在桑榆間，影響不能追。自顧非金石，咄唶令心悲。心悲動我神，棄置莫復陳。丈夫志四海，萬里猶比鄰。恩愛苟不虧，在遠分日親。何必同衾幬，然後展慇懃？憂思成疾疢，無乃兒女仁！倉卒骨肉情，能不懷苦辛？苦辛何思慮？天命信可疑。虛無求列仙，松子久吾欺。變故在斯須，百年誰能持？離別永無會，執手將何時？王其愛玉體，俱享黃髮期！收淚卽長路，援筆從此辭。（曹植贈白馬王彪詩）

以上是第二式。

七　倒裝

話中特意顛倒文法上邏輯上普通順序的部分，名叫倒裝辭。例如普通順序爲『爾所謂達者何哉？』論語顏淵篇卻說『何哉，爾所謂達者？』就是倒裝的實例。大都用以加強語勢，調和音節，或錯綜句法。其形式可以大別爲兩類。

第一類　隨語倒裝

（一）伯魚之母死，期而猶哭。夫子聞之曰，『誰與，哭者？』門人曰，『鯉也。』（普通順序是：哭者誰與）（禮記檀弓上）

（二）且虞能親於桓莊乎，其愛之也？桓莊之族何罪，而以爲戮，不唯偪乎？親以寵偪，猶尙害之，況以國乎？（普通順序是：其愛之也，且虞能親於桓莊乎？）（左傳僖公五年）

（三）吾將使梁及燕助之，齊楚固助之矣。（普通順序是：齊楚固助之矣，吾將使梁及燕助之。）（戰國策趙策）

（四）桓公外舍而不鼎饋。中婦諸子謂宮人：『盍不出從乎？君將有行。』（普通順序是：君將有行，盍不出從乎？）（管子戒篇）

（五）天闕象緯逼，雲臥衣裳冷。（普通順序是：闕天，臥雲。）（杜甫遊龍門奉先寺詩）

（六）古木鳴寒鳥，空山啼夜猿。（普通順序是：寒鳥鳴，夜猿啼。）（魏徵述懷詩）

這類純粹只是語次或語氣上的顚倒，並不涉思想內容和文法組織。

第二類　變言倒裝

（七）諺所謂室於怒市於色者，楚之謂矣。（順言則爲：怒於室，色於市。）（左傳昭公十九年）

（八）其一二父兄私族於謀而立長親。（順言爲：謀於私族。）（左傳昭公十九年）

（九）季子然問，『仲由冉求，可爲大臣與？』子曰，『吾以子爲異之問，仲由與求之問！』（論

語先進）

（十）愎諫違卜，固敗是求。（左傳僖公十五年）

（十一）久拚野鶴如雙鬢，遮莫鄰雞下五更。（雙鬢如野鶴）（杜甫書堂既夜月下賦絕句）

（十二）紅豆啄餘鸚鵡粒，碧梧棲老鳳凰枝。（鸚鵡啄餘紅豆粒，鳳凰棲老碧梧枝。）（杜甫秋興詩）

（十三）薊丘之植，植於汶篁。（順言當爲『汶篁之植，植於薊丘』；說詳古書疑義舉例倒句例）（史記樂毅傳）

以上各例，或顛倒謂語和賓語（七、八）或將主語和謂語中的一部交換位置（如十二），或將主語和賓語交換位置（如十三），也有別用一個字間錯開的（如九的『之』，十的『是』），也有顛倒邏輯上的順序的（如十一），雖然也是顛倒順序，卻往往侵及內容和組織，同第一類單純的倒裝不同。

在新文藝中，第二類幾乎全然不用，除非特殊的描寫。第一類的用法，無論詩文，卻比以前用得更多了。

附記——

王若虛滹南遺老集卷三十六所謂『旋造』，也可算是倒裝的一體。旋造實例，約舉如下：

孤臣危涕，孽子墜心。（實爲墜涕危心）——江淹恨賦

心折骨驚。（實爲心驚骨折）——江淹別賦

泉甘而酒冽。（實爲泉冽而酒甘，這是王氏原例。）——歐陽修醉翁亭記

八 跳脫

語言因爲特殊的情境，例如心思的急轉，事象的突出等等，有時半路斷了語路的，名叫跳脫。跳脫在形式上一定是殘缺不全或者間斷不接，這在語言上本是一種變態。但若能夠用得眞合實情實境，卻是不完整而有完整以上的情韻，不連接而有連接以上的效力。

跳脫大約可以分作三類：第一是說到半路斷了不說或者說開去的，這可以稱爲急收。多是『不肯說盡而詘然輒止，使人得其意於語言之外』。如史記中鴻門宴一段，樊噲答項王的話，從「臣死且不避，卮酒安足辭……」便是一例。

項王曰：「壯士復能飲乎？」樊噲曰：「臣死且不避，卮酒安足辭！——夫秦王有虎狼之心，殺人如不能舉，刑人如恐不勝，天下皆叛之。懷王與諸將約曰：『先破秦入咸陽者王之』。今沛公先破秦，入咸陽，毫毛不敢有所近，封閉宮室，還軍霸上，以待大王來。故遣將守關者備他盜出入與非常也，勞苦而功高如此，未有封侍之賞，而聽細說，欲誅有功之人，此亡秦之續耳，竊爲大王不取也。」（「夫秦王……」以下便說開了。）

智深提了禪杖，再回香積廚來。這幾個老僧，方喫些粥，正在那里——看見智深忿忿地出來，指着老和尚道，『原來你這幾個壞了常住，猶在俺面前說慌！』老和尚們一齊都道，『師兄休聽他說……，師兄，你自尋思：他們喫酒喫肉，我們粥也沒得喫，恰纔還怕師兄喫了。』智深道，『也說得是。』倒提了禪杖，再往方丈後來，見那角門卻早關了。（『正在那里』以下也說開去了）

（水滸第五回）

公孫策與婦人看病，雖是私訪，他素來原有實學，所有醫理盡皆知曉。診完脈息，已知病源。站起身來，仍然來至西間坐下，說道，『我看令媳之脈，乃是雙脈』。尤氏聽了，道，『噯呀，何嘗不是！他大約四五個月沒見——』（咽下『月信』二字）（三俠五義第八回）

五年，諸侯及將相相與共尊漢王為皇帝。漢王三讓，不得已，曰，『諸君必以為便便國家……。』甲午，乃卽皇帝位氾水之陽。（也咽下『便國家』以下允許的話）（史記漢高祖本紀）

像這些咽下不曾說全的話，我們大都可以從情境上推知它的意思，卽所謂『得其意於語言之外』。但想將話補全，卻頗為難。因為各個咽下處所大都是情境複雜的，至少用了這種跳脫語以後人會想像以為情境複雜的。若把有限的幾個字把它補全了，人往往反而以為不及原語的含義豐富。史記一例，漢書改為『諸侯幸以為便於天下之民則可矣』，形式比較的完整，而漢高祖推讓皇位時候扭捏的複雜神情倒反覺得不及史記上的來得活現，便是這個緣故。

第二是突接。折斷語路突接前話，或者突接當時的心事，因此把話折成了上氣不接下氣。如

晉侯賞從亡者。介之推不言祿，祿亦弗及。其母曰，『亦使知之，若何？』對曰，『言，身之文也；身將隱，焉用文之？——是求顯也。』（『是求顯也』突接『使知之』，意思是說：『若使知之，是求顯也』。故同『焉用文之』不接。）（左傳僖公二十四年）

晉獻公將殺其世子申生。公子重耳謂之曰，『子盍言子之志於公乎？』世子曰，『不可。君安驪姬，——是我傷公之心也。』（『是我傷公之心也』，也因突接『言志於公』，同『君安驪姬』

不接。意思是說：『若言我之志於公，是我傷公之心也。』）（禮記檀弓上）

子夏喪其子而喪其明。曾子弔之曰，『吾聞之也，朋友喪明則哭之。』曾子哭。子夏亦哭，曰，『天乎，予之無罪也！』曾子怒曰，『商！女何無罪也？吾與女事夫子於洙泗之間，退而老於西河之上，使西河之民，疑女於夫子，爾罪一也。喪爾親，使民未有聞焉，爾罪二也。喪爾子，喪爾明，爾罪三也。而曰——女何無罪與？』（『女何無罪與』也因突接『予之無罪也』，把『而曰』一句折成了殘缺不全。意思是說：『而曰「予無罪」，汝何無罪與？』）（禮記檀弓上）

馮唐者，其大父趙人，父徙代。唐以孝著，爲中郎署長。文帝輦過，問唐曰，『父老何自爲郎？家安在？』唐具以實對。文帝曰，『吾居代時，吾尙食監高袪數爲我言趙將李齊之賢，戰於鉅鹿下。今吾每飯，意未嘗不在鉅鹿也。父知之乎？』唐對曰，『尙不如廉頗李牧之爲將也。』上既聞廉頗李牧爲人良，說而搏髀曰，『嗟乎！吾獨不得廉頗李牧時爲吾將，——吾豈憂匈奴哉！』（『吾豈憂匈奴哉』是突接當時的心事。因爲當時文帝，正如下文所說，『以胡寇爲意』，所以有這突然的話。意思是說：『吾獨不得廉頗李牧此時爲吾將，若得廉頗李牧此時爲吾將，吾豈憂匈奴哉！』）（史記馮唐傳）

孝文帝立數月，公卿請立太子，而竇姬長男最長，立爲太子，立竇姬爲皇后。竇皇后兄竇長君，弟曰竇廣國，字少君。少君年四五歲時，家貧，爲人所略賣，其家不知其處。傳十餘家，至宜陽，爲其主入山作炭。寒，臥岸下百餘人。岸崩，盡壓殺臥者，少君獨得脫，不死。從其家之長安。

聞竇皇后新立，家在觀津，姓竇氏。廣國去時雖小，識其縣名及姓，又常與其姊採桑墮，用爲符信。上書自陳。竇皇后言之於文帝。召見，問之，具言其故，果是。於是竇后持之而泣，泣涕交橫下，侍御左右皆伏地泣，助皇后悲哀。乃厚賜田宅金錢，封公昆弟，家於長安。絳侯（周勃）灌（嬰）將軍等曰，『吾屬不死，命且縣此兩人。兩人所出微，不可不爲擇師傅賓客，——又復效呂氏大事也！』」（『又復效呂氏大事也』也是突接當時的心事。當時呂后母家諸呂鬧大事剛完，就又大封竇后兄弟，而竇后兄弟又『所出微』，恐怕又要鬧事，所以有這突然的話。意思是說：『不可不爲擇師傅賓客，若不爲擇師傅賓客，又復效呂氏大事也！』）（史記外戚世家）

像這些突接的處所，若爲說明方便起見，原也不妨給它增上相當的複牒前話的假設語，如『若使知之』之類，使它連接。然而這也容易損了原有的急切神情。卽如左傳一例，史記晉世家加上了『文之』兩字，作『言，身之文也。身將隱，焉用文之？文之是求顯也』。形式上固然比較的完整，而說話者急切的神情也覺得反而有些失去了。

第三是岔斷。這有些像急收而其實非急收，又有些像突接而其實非突接，這是由於別的說話或別的事象橫闖進來，岔斷了正在說的話，致被岔成了殘缺不全或者上下不接。如左傳襄公二十五年：

叔孫宣伯之在齊也，叔孫還納其女於靈公，嬖，生景公。丁丑，崔杼立而相之，慶父爲左相，盟國人於太宮曰：『所不與崔慶者——』晏子仰天嘆曰：『嬰所不唯忠於君，利社稷者是與，有如上帝！』乃歃。（崔慶的盟辭未說完便被晏子岔斷了，所以杜注說：『盟書云，「所不與崔慶者有如上帝」，讀書未終，晏子抄答易其辭，因自歃。』）

又荀子堯問篇：

魏武侯謀事而當，羣臣莫能逮，退朝而有喜色。吳起進曰，『亦嘗有以楚莊王之語，聞於左右者乎？楚莊王謀事而當，羣臣莫逮，退朝而有憂色。楚莊王以憂，而君以喜——』。武侯逡巡再拜曰，『天使夫子振寡人之過也』。（吳起的話也未說完，被武侯岔斷。）

又史記項羽本紀：

項王留沛公與飲。項王項伯東嚮坐。亞父南嚮坐，——亞父者，范增也。——沛公北嚮坐，張良西嚮侍。范增數目項王，舉所佩玉玦以示之者三。項王默然不應。（敘述語被『亞父者范增也』這一個插注岔斷。）

又如三俠五義第十二回：

到了二更時分，英雄（展昭）換上夜行的衣靠，將燈吹滅，聽了片時，寓所已無動靜。悄悄開門，回手帶好，仍然放下軟簾，飛上房，離了寓所，來到花園——白晝間已然丈量過了。——約略遠近，在百寶囊中掏出如意絲來，用力往上一拋。——是練就準頭——便落在牆頭之上，用腳尖登住磚牙，飛身而上。到了牆頭，將身爬伏。（敘述語被說明語岔斷了兩次）

這都還普通，比較奇特的要算水滸第五回中魯智深詰責瓦官寺和尚，岔斷和尚說話的寫法：

智深走到面前，那和尚喫了一驚，跳起身來便道，『請師兄坐，同喫一盞。』智深提着禪杖道，『你這兩個如何把寺來廢了？』那和尚便道，『師兄請坐，聽小僧——。』智深睜着眼道，『你說，你說！』『——說：在先敝寺十分好個去處，田莊又廣，僧衆極多，只被廊下那幾個老和尙，喫酒撒潑，將錢養女，長老禁約他們不得，又把長老排告了出去，因此把寺來廢了。僧衆盡皆走散，田土已都賣了。小僧卻和這個道人新來主持此間，正要整理山門，修蓋殿宇。』和尙說的『師兄請坐，聽小僧說』，原是一句，只因智深睜眼在旁搶說『你說你說』，作者要把兩人的話一齊寫出，就將那和尙的話隔斷，把『聽小僧』等字隔在上文，『說』字隔在下文。這種隔法，水滸以前似乎不曾有過。所以批評家金聖歎要說這是『從古未有之奇事』，又說，『章法奇絕，從古未有』。像這些跳脫岔斷的話，如果硬將它們補全或者接連，也容易失了當時的急驟神情。卽如荀子一個例中吳起的最後一句話，吳子（卷上）圖國篇作『此楚莊王之所憂，而君說之，臣竊懼矣』，補了一句，語頗完整，但於所謂『於是武侯有慚色』，不待話完，急急認錯的神情卻倒有些模糊了。所以跳脫形式，雖然常是殘缺不全或者間斷不接，也是增減它不得，倒置它不得。淸魏禧在他所著的日錄論文中有一條說：『又嘗論古樂府以跳脫斷缺爲古，是已。細求之，語雖不倫，意卻相屬，但章法妙，人不覺耳。然竟有各成一段，上下意絕不相屬者，卻增減他不得，倒置他不得。此是何故？蓋意雖不屬，而其節之長短起伏，合之自成片段，不可得而亂也。……知此者可與讀文矣。』他這一段話雖係專論古樂府，卻有相當的普遍性，可以移作本格的說明。

第九篇　積極修辭五

一　辭趣

關於語感的利用，就是語言文字本身的情趣的利用，大體可以分作三方面，就是：辭的意味，辭的聲調，和辭的形貌。這三個方面大體跟語言文字的意義、聲音、形體三方面相對當。我們在辭趣論裏所要討論的，便是如何利用各個語言文字的意義上聲音上形體上附着的風致，來增高話語文章的情韻的問題。利用語言文字的風致來補助語文情韻的手段，雖然普通並不計及，但是應該討論的項目也不少。爲了討論方便起見，就照語言文字的義音形三分法，分作意味、聲調、形貌三項，各別說述於下。

二　辭的意味

辭的意味，大概由兩個方面構成：一是由於語言文字的歷史或背景的襯托；二是由於語言文字的上下或左右的包暈。

語言文字大抵都有它自己的歷史或背景，形成它的品位和丰彩。不過不著名的，人都不去注意它，不是在特殊的地方，人也不去計較它罷了。但是個人的情趣，流派的氣味，時代的精神，地方的色彩，以及其它等等，往往就從那所用的詞的歷史或背景裏，很濃重地透露出來。例如或說『國粹』，或說『國故』，或說『國學』，所指對象大體相同，而說者趣味或時代情味卻就不同；又如或說「無爲之說」，或說「老子之說」，或說「道家之說」，所指對象也大體相同，而說者個人的情趣及流派的氣味，也就不無顯然的區別。這都由於歷來用這詞的歷史而來。又如市上常見『男女理髮所』字樣，我們看了不以爲奇，而新近有人叫做什麼『乾坤理髮所』，我們看去便覺得有一種催嘔的冬烘學究氣息撲上來，這也是由於『乾坤』一個詞的歷史所致。

再如『來呀』和『來嗐』，也是語意相同而兩語所顯示的背景的風味全然不同的例。因爲『來呀』是普通常用的，聽去很平常，而『來嗐』聽了就不免引起特殊的背景的聯想。在文學中，往往因爲要利用語言的這一種作用，利用各處方言來顯示各處的情調。如海上花的用蘇白來寫上海的遊窟情調，兒女英雄傳的用京語來寫北方兒女的英雄氣概，便是著名的例。

尋常討論辭的意味時，往往要討論到所謂『造形的表現』。以爲要使語言不流於空洞玄虛而能再現出鮮新的心像，必得訴之於視覺（明暗、形狀、色彩等）和觸覺（溫、冷、痛、壓等覺）和運動感覺等等，把那空間的形象描出來。其方法，是在描繪對象物的性狀，表現對象物的活動。如：

……一面白旗懶懶地搖動着暮色。我就想起火車已經出了隧道——這時候，我見蕭索的橫路的水柵那邊，並立着三個臉色血紅的男孩。他們都好像抵不住這陰天的壓抑似地，身材統很低。又穿着和這村外陰慘的風物一樣顏色的衣服。他們仰着頭看火車通過去，急忙地一齊舉起手來，又就破嗓子，莫名其妙的拚命的高喊。這時候，那半身探出窗外的小姑娘，也就伸出她那凍傷了的手，向左右亂擺，忽然又有耀眼的染着暖日色的橘子一總五六個，劈拍劈拍地從空

落到看送火車的小孩們的身上去。（芥川龍之介橘子）

在這中間所謂『蕭索的橫路的木棚』及所謂『臉色血紅的三個男孩』以及所謂『凍傷的手』等，便是顯示形象的性狀的辭句。如所謂『仰着頭』所謂『急忙地一齊舉起手』，所謂『破嗓子』，所謂『拚命的高喊』，所謂『伸出手向左右亂擺』等等，就是表現活動的辭句。這些辭句都使得語文生動有致。尤其是那結末的地方，不說『投下橘子』卻說『橘子從空落去』，更是把印象表現得非常的鮮活有趣。正如同氏所作湖南的扇子中，寫船近長沙碼頭時說：

我在這時以前的數分鐘就靠着甲板上的欄杆，望那漸漸地迫近左舷來的長沙府城。

不說『迫近去』而說『迫近來』，便更如實地浮現出活動的印象，因此也就更有趣。

這就是所謂造形的表現所致的情趣。但這種情趣是由於形象之官感的描寫而來，不是由於語言文字之歷史或背景的利用而來。雖然那也非常重要，但同眼下所論，實爲另外一件事。

這種由於辭的經歷或背景而來的風味，細分起來簡直和語言的種類一樣的繁多。如語言上有術語、俚語、方言、古語……等種種，辭的背景情味也就隨着而有術語的、俚語的、方言的、古語的等多種不同的情趣。見用術語時，對於那語的背景就會有專門人物或專門知識等聯想；看了或者會有莊嚴深奥等感雜然並呈，形成以其語爲燒點的一團情趣。使其語所要表現的思想，因此更其不懸空，不單弱。用方言時也是如此，也或顯出了地方的色彩，或形出了鄉下老的神氣，可以因它所附的雜多情趣，而將其語的意象加上了一層地方風味的裝飾。俚語的會有通常社會的聯想所引致的情趣，古語的會有古舊、疏遠等情趣隨伴着，也是同樣的緣故。

除了此種語言文字的歷史或背景的襯托影響之外，由於語言文字的上下或左右包暈而來的勢力，也並不少。往往將一個辭，換了它的上下文，就可以換出一種新辭趣。那一種新辭趣，有時簡直和原辭不同到正相反對的地步。胡以魯在他所著的國語學草創中曾經說：

> 抑意味之感，意識中之一種特殊元素也。藉聯想或類推作用彼此相連，或彼此相限，起關係上包暈之感。如吾云『人』，口中起『人』之發音運動，腦中卽起『人』之意識經驗。發音之『人』同，經驗之『人』視其詞句之關係，而意可異。如云『患不知人也』，對己而稱他人，三人稱也。『過也人皆見之』，有皆以限之，多數也。『碩人』詩賦衞莊姜，可知其性爲陰，其位爲呼也；而動詞之時、法、氣，亦可於句中覘之。不寧惟是，『不知人』之『人』，稱偉人也，與『人皆見之』之稱常人者有辨。更以修辭的言之：人不限於三人稱，如『哲人其萎乎』，孔子自謂；『斯人也而有斯疾也』，則對稱伯牛也。若是所附加之意識爲一種特殊積極之感，化單純之音響爲特定之意義，蓋發於意識而有規定思慮之性能者也。思慮既定，斯思慮結果之語言，亦以心傳心，不逾矩矣。是卽所謂關係包暈之感。（第六編國語在語言學上之位置）

所謂關係包暈之感，就是指上下左右的包暈關係而說。上下文關係在我們中國的語言文字裏，本來極占重要的位置；例如我們中國的語言文字上還不大有表徵文法的添接成分，而時數之類的文法變化，我們仍能明白認識，有時就要靠這一種所謂字裏行間的上下文關係的助力。但是上下文關係所有的增長或者減少本文的作用，也頗有力及於辭的風味上。例如『中庸』兩字，在論語的雍也篇

> 中庸之爲德也其至矣乎，民鮮久矣。

一句中，本有所謂『不偏不易』的推崇它的意味；而在賈誼過秦論上篇所謂

> 材能不及中庸

句中，因它下文就有一句說陳涉『非有仲尼墨翟之賢』的話，『中庸』二字便簡直只含有『尋常』兩字的意趣；至在後漢書胡廣傳

> 萬事不理問伯始，天下中庸有胡公。

云云，則所謂『中庸』簡直只能當作無可無不可的『鄉原』解了。這就因為上下文關係，所含意趣幾乎同第一個『中庸』兩字美醜完全相反的實例。

又如『蕩蕩』兩字，在論語的泰伯篇中

> ……蕩蕩乎民無能名焉

的句裏本有『廣遠』或『廣大』的意味，而在干寶的晉紀總論中——

> 民風國勢如此，雖以中庸之才守文之主治之，辛有必見之於祭祀，季札必得之於聲樂，范燮必為之請死，賈誼必為之痛哭；又況惠帝以蕩蕩之德臨之哉？

則因上文有『中庸之才』也不免如何如何的包暈，所謂『蕩蕩』兩字簡直如吳曾祺所說，幾乎就是說他『蠢然無知』的意思了。

『作史之法，有曰美惡不嫌同辭』，其實史中無註，讀史者對於同辭而能感得一是說美一是說惡的意趣，那完全由於語言文字上有所謂上下包暈作用的緣故。

利用背景風味和上下關係是調和辭味的經常方法。此外還有一項手段，有時也有人用。就是採

用蓄感含情的色彩鮮明的辭句。我們平常表示親密或厭惡的時候另用特殊的稱呼，便是這一種手段的運用。如新近的女子常稱她的愛人爲『哥哥』或『弟弟』，而男子常稱他的愛人爲『姊姊』或『妹妹』之類，就是例。

這項手段的要點，是在將我們對於對象物的感情特別提出來，使它浮在所用的辭句上。平常我們用一辭，原也包含有對於那一辭的對象感情。例如我們用『馬』這一個辭，這辭就含有我們經由視感、聽覺、鼻感，及其他感覺等等呈現到我們意識上來的一切印象；而且同時含有我們對於馬的種種感情方面的聯想，如對於馬的勇武的性情的愛好，和對於馬的耐勞的性情的愛好等等。那種複雜的聯想，當然隨人而有質的及量的差異。所以平常幾個人同用所謂『馬』這一個辭時，幾個用的人所寄托的情趣的內容，可以很不相同。倘要劃定或描出自己所強感的點面，有時不能不另用一種的特殊稱謂。例如言快就稱它爲『千里』，言矮就稱它爲『果下』之類。那便將我們對於對象所最強感的印象或情趣特別提出來，把它浮在辭面上了。那作者對於對象物的焦點的印象或情緒，只要一看便可感得。故用帶有這種辭趣的辭的時候，作者的色彩常是異常的鮮明。但實際上，這項手段是不常用的。

三　辭的聲調

辭的聲調是利用語言文字的聲音以增飾語辭的情趣所形成的現象。語辭的聲調，也和語辭的風味一樣，——甚或在語辭的風味以上，爲過去的許多執筆者所留心講究。大體可以分爲象徵的和裝飾的兩方面。象徵的聲調，都同語言文字的內裏相順應，可以輔助語言文字所有的意味和情趣；裝飾的聲調則同語辭的內裏並沒有什麼必然的聯系，只爲使得語辭能夠適口悅耳，聽起來有音樂的情味，所以講究它。

一，象徵的聲調　又可分爲象物音的利用和音趣的利用兩項。

（甲）象物音中的字音彷彿象事物的聲音的，如『滴』字的音，同雨下注階的音相近，『擊』字的音同持械敲門的音相近，『流』字的音同急水下注的音相近，又如『湫』字的音近於池水的聲音，『瀑』字的音近於瀑布的聲音之類（參看劉師培中國文學教科書第一册），也有發音的動作彷彿象事物的，『如大字之聲大，小字之聲小，長字之聲長，短字之聲短，又如說酸字口如食酸之形，說苦字口如食苦之形，說辛字口如食辛之形，說甘字口如食甘之形，說鹹字口如食鹹之形』（見陳澧東塾讀書記卷十一）。像這類的字音，據說在我們中國的語言文字裏並不少，利用它來用在語辭上，也可以使那語辭上有字音和字義互相融合的情味，比之一般語言更其貼切有味。

（乙）還有音趣，雖然比之前項所述更爲隱微，也可以用以象徵語辭的意味，不過這項修辭手段，在我國彷彿向來並不注意。所以唐鉞發表他的『隱態繪聲』論，引韓愈送本師歸范陽的

姦窮怪變得，往往造平淡。

以爲『姦』『窮』『怪』，音也突兀，同語意相稱；又引韓愈薦士的

敷柔肆紆餘，奮猛卷海潦。

以爲上句字音和字意相應，下句『奮猛』也和『卷海潦』的聲音相似（現收入國故新探卷一）。當時友朋之中通音韻的也還有人以爲他的議論太帶玄學的氣息。但音趣的象徵雖不十分明瞭，卻也似

乎不能以爲沒有這麽一回事。例如有些修辭學家和語言學家所稱述的：長音有寬裕、紓緩、沈靜、閒逸、廣大、敬虔等情趣；短音有急促、激劇、煩擾、繁多、狹小、喜謔等情趣。淸音可以引起

（1）小　（2）少　（3）強　（4）銳　（5）快
（6）明　（7）壯　（8）優　（9）美　（10）賢
（11）善　（12）靜　（13）虛　（14）輕　（15）易

等特質的聯想；濁音可以引起

（1）大　（2）多　（3）弱　（4）鈍　（5）慢
（6）暗　（7）老　（8）劣　（9）醜　（10）愚
（11）惡　（12）動　（13）實　（14）重　（15）難

等特質的聯想。雖不見得人人都有同感，卻也不能全然加以否認。

二、裝飾的聲調　裝飾的聲調，並不像上述象徵的聲調能夠直接輔益語辭的意義，語辭上用它不過爲了裝飾作用。這類裝飾的聲調，也可分爲兩種：一是特殊的，一是一般的。所謂特殊的是只限於詩歌之類特殊的體式上纔有的；而一般的聲調則是一般的文辭上所習見的。照普通的稱謂，前者可以稱爲『聲律』，後者可以稱爲『音節』。

調和音節的手段之中，有下列兩個特殊方法：

（1）移動標點　標點本來用以標示文辭的關係或作用，標點的正用當然該用它來標示文辭的意義。但實際上，標點的用法不盡如此。譬如在文言中像孟子梁惠王章的

未有仁，而遺其親者也；未有義，而後其君者也。

照意義，『仁』字下和『義』字下都不應有標點；而實際上教書的人，差不多都如上文，在『仁』字下和『義』字下都加上標點。這就爲了便於讀時的呼吸，讀起來較爲順溜又較爲有力的緣故。我們如果稱別種標點爲『文法上的標點』，便不妨稱這一種爲『修辭上的標點』；倘若稱別種標點爲『意義的標點』，又不妨稱這一種爲『音節的標點』。標點的這一種用法，就在最近的新文藝中也還有好些人採用它。

（2）變動字句　有時爲音節和合起見，不能不變動字句，甚至有時爲音節和合起見，不能不牽動文法。例如孟子萬章下的

吾於子思，則師之矣。

和公孫丑上的

我於辭命，則不能也。

句法本來相同，而一句的『師』字下有賓語，一句的『不能』下沒有賓語，想來也是爲要音節調順的緣故。

聲調上的修飾，在過去的文家大抵把它當作一件大事。那用力的方法就是一個讀。如姚鼐在與陳碩士書中所謂：

大抵學古文者，必要放聲疾讀又緩讀，祇久之自悟。若但能默看，卽終身作外行也。（姚永樸文學研究法引）

但這種讀的習慣，已經隨着人事的繁忙，和印刷的激增，漸漸消沈下去。自從活字發明，印刷術發達以來，書報出得比較多，比較快，閱讀書報的人差不多都已重在『閱』，而不重在『讀』。因此修起辭來，也便只求文辭適於眼看目賞，不復要求所謂琅琅可誦了。現在鄉間年長的人雖然依舊還有朗誦的習慣，但像我們就已經多看少讀。還有一些人甚至見人『讀』書『讀』報就要笑；而且說：『如果朗誦，便覺得文章的意義也隨着聲音一齊從嘴裏飛出去，不再入心了。』文辭不很講究聲調，幾乎已經成爲一般的風氣。

四　辭的形貌

至於文辭的形貌，雖然我們現在修辭並不講究，前人爲文也頗注意。劉勰在文心雕龍練字篇中曾經說：

> 綴字屬篇，必須練擇：一避詭異，二省聯邊，三權重出，四調單複。

中間第二項的『省聯邊』和第四項的『調單複』，便是關於文辭的形貌的運用。

什麼是『聯邊』？又應該怎樣地『省』聯邊？劉勰接着就說：

> 聯邊者半字同文者也。狀貌山川，古今咸用；施於常文，則齟齬爲瑕。如不獲免，可至三接。三接之外，其字林乎？

所謂聯邊原來就是有半個字相同的字。據他說來，尋常作文，像張協的雜詩中

> 洪潦浩方割

句模樣，或像沈約的和謝宣城詩中

刷羽汎淸源

句模樣，聯用三個聯邊的字是可以的；倘如曹植雜詩中的

綺縞何繽紛

陸機日出東南隅行中的

瓊珮結瑤璠

那樣五個字之中用了四個聯邊的字，便有些像字典，便未免太不好看了。

『綺縞』之類字形半個相同而前人以爲字面好看的，約有左列五種：

（1）左同　例如江河；

（2）右同　例如鸚鵡；

（3）上同　例如芙蓉；

（4）下同　例如鴛鴦；

（5）周同　例如園圃。

前擧『綺縞』等各例，不過是其中的一種。

隨後劉勰又解說什麽叫做『單複』和怎樣『調』單複道：

單複者，字形肥瘠者也。瘠字累句，則纖疎而行劣；肥字積文，則黯黕而篇闇；善酌字者，參伍單複，磊落如珠矣。

則文意更分明，就是說只有把肥字和瘦字錯綜參伍起來用，纔不致太疏朗朗地或太糊執執地不好看。劉勰所謂省聯邊和調單複這兩種手術，我們的前輩文人撰精緻的文字時都頗注意。其中又以省聯邊爲佔主位。但現在也幾乎無人說起了。

還有國外未來派等近代派的藝術家，也頗注意於文字的直接的刺激力。像未來派就會主張『在一頁裏，用三四種顏色不同的墨汁，二十種式樣不同的字模』來印刷，以直接刺戟人們的感官。他們除了盛用摹聲語言和數學記號之外，就要算這一種用印刷上各種可能的技術使文章極度的繪畫化的主張最引人注意。他們曾有人把煙爐寫做 FUMER 去模擬煙爐的形象，又曾有人寫了

街 街 街 街 街 街

人 人 人 人 人 人

模樣的許多字，去描寫正在疾馳的車上所見的街和街頭上所見的人。這雖和以前我們那種寶石匠模樣的手法不同，也是屬於文辭的形貌上的雕琢。

第十篇　修辭現象的變化和統一

一　格局無定

我們到此，大體已經將各種修辭現象說完。普通往往還要提出所謂組織或結構問題來。這在以前，名叫『布格』，也叫『布局』。格局固然也很重要，但實際是隨語文的體式、意旨、以及各人的設計而變，沒有什麼應用無礙的一定方式可說，除非原來照塡程式的應用文。我們知道一向對於格局有所謂三準四法說。三準說道，『凡思緒初發，辭采苦雜，心非權衡，勢必輕重。是以草創鴻筆，先標三準：履端於始，則設情以位體；舉正於中，則酌事以取類；歸餘於終，則撮辭以舉要。然後舒華布實，獻替節文，繩墨以外，美材既斲，故能首尾圓合，條貫統序』（見文心雕龍鎔裁篇）。四法說道，『詩有四法：起要平直，承要春容，轉要變化，合要淵永』（見范梈詩法）。這或許可以說明一部分的語文，但決不能範圍古今一切語文的格局。就再加多些節目，爲起、承、鋪、敍、過、結六法，又加多些伸縮性，爲『或用其二、或用其三四，可以隨宜增減』（見陳繹曾文筌），也仍不能盡格局的變化。這在過去，也曾有人說過。章學誠論『古文十弊』中有一條說：『古人文成法立，未嘗有定格也。傳人適如其人，述事適如其事，無定之中，有一定焉。知其意者，旦暮遇之。不知其意，襲其形貌，神弗肖也。往余撰和州故給事成性志傳。性以建言著稱，故采錄其奏議。然性少遭亂離，全家被害，追悼先世，每見文辭。而猛省之篇，尤沈痛可以教孝。故於終篇，全錄其文。其鄉有知名士賞余文曰，「前載如許奏議，若無猛省之篇，譬如行船，鷁首重而舵樓輕矣。今此婁尾，可謂善謀篇也。」余戲詰云，「設成君本無此篇，此船終不行耶？」蓋塾師講授四書文義，謂之時文。必有法度，以合程式。而法度難以空言，則往往取譬以示蒙學。擬於房室，則有所謂間架結構。擬於身體，則有所謂眉目筋節。擬於繪畫，則有所謂點睛添毫。擬於形家，則有所謂來龍結穴。隨時取譬。然爲初學示法，亦自不得不然，無庸責也。惟時文結習，深錮腸腑，進窺一切古書古文，皆此時文見解，動操塾師啓蒙議論，則如用象棋枰布圍棋子，必不合矣」（見文史通義五）。古文尙且如此，何況不像古文那樣板板的。所謂『無定之中，有一定焉』，或許便是劉勰所謂『首尾圓合，條貫統序』，但這也是『傳人適如其人，述事適如其事』的自然結果。至於所謂四法六法等等刻板定數，在東方是有一個公用綽號，叫做『杓子定規』，而學誠卻也替它起了一個綽號，叫做『井底天文』。我們既然無意研究所謂井底天文，那就不必再考較了。修辭現象大體已經說完。現在列一箇表於下：

- 修辭現象（或方式）
  - （一）消極的
    - 明確
    - 通順
    - 平勻
    - 穩密
  - 材料上的

（二）積極的
- 辭格
  - 意境上的
  - 詞語上的
  - 章句上的
- 辭趣
  - 意味
  - 聲調
  - 形貌

二　修辭現象也不是一定不易

這些修辭現象也不是一定不易。就像選詞，我們現在是以平易做標準。而不久以前，卻以所謂雅潔做標準。雅潔便是桐城派的所謂義法之一。桐城派的開山祖師方苞曾經說過：

南宋元明以來，古文義法不講久矣，吳越間遺老尤放恣，或雜小說，或沿翰林舊體，無雅潔者。

（見沈廷芳書方望溪傳後）

又姚鼐也曾經說過：

鼐又聞之：『言之無文，行而不遠。』出辭氣不能遠鄙倍，則曾子戒之。……當唐之世，僧徒不通於文，乃書其師語以俚俗，謂之『語錄』。宋世儒者弟子，蓋過而效之。然以弟子記先師，懼失其眞，猶有取爾也。明世自著書者，乃亦效其辭，此何取哉？願先生凡辭之近俗如『語錄』者，

盡易之，使成文，則善矣。（見復曹雲路書）

從此以後凡是直屬或歸附桐城派的，沒有一個不奉雅潔兩字做選詞的標準。從清康熙年間直到民國初年，佔據文心幾乎有二百多年。便是在譯述界頗有貢獻的嚴復林紓，也不能不受它的牢籠。嚴復所謂『譯事三難：信，達，雅。……易曰「修辭立誠」，子曰「辭達而已矣」，又曰「言之無文，行之不遠」。三者乃文章正軌，亦卽譯事楷模。故信達而外，求其爾雅。』（見所譯天演論例言）。最後一定要提出一個雅字來，也是由於所謂雅潔義法在那里捉弄他。這種義法，直到白話文學運動起來，纔被攻破。白話文學運動是有歷史的社會的根源的，那時雖然林紓還是纛着雅來反攻，也已經不濟事了，不能不慘慘地敗走了。這便是近年來顯而易見的變易之一。嚴復以爲不止『行遠』須要講雅，就是『求達』也要講雅。他說，『實則精理微言，用漢以前字法句法，則爲達易；用近世利俗文字，則求達難，往往抑義就詞，……』（也見同書例言）。這種感覺，多半不是從語言文字的意義上頭來，只是從我們所謂辭趣上頭來。因爲漢以前的字法句法，人比較的看得多，讀得熟，每見一詞往往不但知道它的字義，還知道它的歷史。卽如所謂爾雅一詞，我們知道有過爾雅一書，書的疏裏有過『爾雅』兩字的解釋：『爾，近也，雅，正也，言可近而取正也。』爾雅兩字又曾見過史記儒林傳序：『文章爾雅，訓辭深厚。』注上說：『謂詔書文章雅正』。用漢以前的字法句法，便當的便是這等歷史光輝可以照耀上來，把字罩上了一層閃爍不定的光彩，使人看去，眞像『深厚』不可測度。但這種爾雅，實際是同行遠有礙，而於所謂達卻無關係。像儒林傳序裏公孫弘的奏語便說：

……臣謹案詔書律令下者，明天人分際，通古今之誼，文章爾雅，訓辭深厚，恩施甚美；小吏淺

聞，弗能究宣，無以明布諭下。（史記漢書儒林傳參用）

所謂『文章爾雅』的詔書律令，便連小官也不能懂，還說什麽『行遠』？而所謂詞的歷史色彩又不單是漢以前的字法句法有的。我們倘也像留心漢以前的字法句法那樣，眞肯留心現代的語言文字，將見現代語言文字的歷史背景更爲豐富，而且更爲親切，就要利用辭趣，也不見得便無辭趣可以利用。大概過去的辭人多半帶有高蹈的氣息，隔離社會，又把社會看作自己脚下的塵世，故於辭趣也常把所謂文壇的辭趣和所謂社會的辭趣分得極嚴。有人說：文壇的辭趣是文壇慣用的字句所專有的情趣，這種字句常帶有文壇的背景，能使讀者發生雅感及好感，而無粗野的刺激。而所謂社會的辭趣，却不如此，故往往同文壇的辭趣發生衝突。這種分法非常奇妙，你或許要喫一驚，以爲他們的『文壇』是建築在『社會』以外的。其實他們也不過把意思老實說出來罷了，意思並不是他們獨有的。像嚴復所謂『用漢以前字法句法，則爲達易；用近世利俗文字，則求達難』，還不是一樣的意思？他們雖不在社會以外，却也不在社會之中。他們高高地爬在『象牙塔』上，深深地藏在『藝術宮』裏。他們厭惡塵囂，不願我們這種『引車賣漿者言』吹進他們耳朵。這種語言是他們所不慣聽不慣說的，他們自然說不上口，故也不妨說是『則求達難』。而其實是不願上口的成分居多。所以嚴復曾經去問吳汝綸，說『行文欲求爾雅，有不可闌入之字，改竄則失眞，因仍則傷潔』，怎麽好呢？吳汝綸教導他的是，『與其傷潔，毋寧失眞！』（見吳汝綸與嚴幾道論譯西書書）『求其爾雅』至於要『毋寧失眞』，可見也是『抑義就詞』，不見得便是『爲達易』。總之，當所謂雅潔一種義法支配着人意的時候，是一切都可以爲它犧牲，又好像一切都是它所成全的。雅潔的選詞標準旣經攻破，從此所謂『毋寧失眞』云云將眞殉雅的慘事便不至於再發生了。這在手法方面，是脫離形式拘縛內容那一種狹窄義法的大解脫，而在意識方面，也是從超出社會轉爲投入社會的一個大轉變。

三　修辭現象常有上落

辭格方面，也常有上落，有的是自然演進，有的是有意改動。像藏詞由並用歇後藏頭漸次演進爲專用歇後，又從憑藉詩經書經等書上成語漸次演進爲直用口頭上的成語，又像複疊，從『灼灼』『依依』等疊字漸次演進爲『隨隨便便』『不不少少』等疊字，都是不聲不響地在那里進展。都可以看作自然演進。這種自然演進，在發動的個人想必也是有意的，不過它既不曾出名，我們也就難以考查它的經歷罷了。只有幾種積弊極重，改革也頗費力的，我們還能知道那是有意的改革。例如對偶。對偶本來不必絕對排斥，假如事意有自然成對的，自然也可以用成對的語言去表達它，但從魏晉以後，競尙纖巧，往往以爲文辭一定要對，那就成爲措辭的鐐銬。所以唐代曾經有過一度激烈地反對，不久以前也曾有過一度激烈地反對運動。又如引用。引用本也不必絕對排斥，假如前人的成事成語眞有足以補助或代替我們自己的說話的，引用也是不妨，但過去往往借用不全切或全不切的故事陳言來代話，又往往借用不全切或全不切故事陳言來解話，有時晦澀費解，簡直等於做謎猜謎。而刻削不自然的體態也往往教人看了生厭。這於意趣兩面，都是有害無益。最大的效用，不過是借此矜奇炫博，就是所謂掉書袋。淸周壽昌所著思益堂日札（九）曾載有『掉書袋』一條：

凡人摘裂書語以代常談，俗謂之掉文，亦謂之掉書袋。掉書袋三字見馬令南唐書彭利用傳。利用自號彭書袋，傳中所載掉文處眞堪絕倒。傳有云：或問其高姓，對曰，『隴西之遺苗，昌邑之餘冑。』又問其居處，對曰，『生自廣陵，長僑螺渚。』其僕常有過，利用責之曰，『始予以爲紀綱之僕，人百其身，賴爾同心同德，左之右之。今乃中道而廢，侮慢自賢，故勞心勞力，日不暇給。若而今而後，過而勿改，予當循公滅私，撻諸市朝，任汝自西自東，以遨以遊而已。』時江南士人每於宴語，必道此以爲戲笑。利用喪父，客弔之曰，『賢尊窀穸，不勝哀悼。』利用對曰，『家君不幸短命，諸子餬口四方，歸見相如之壁，空餘仲堪之棺，實可痛心疾首，不寒而栗。苟泣血三年，不可再見。』遂大慟。客復勉之曰，『自寬哀慼，冀閔喪制。』利用又曰，『自古毀不滅性，杖而後起，卜其宅兆而安措之。雖則君子有終，然而孝子不匱。三年不改，何日忘之。』又大歔欷。弔者於是失笑。會鄰家火災，利用往救。徐望之曰，『煌煌然赫赫然，不可嚮邇，自鑽燧而降，未有若斯之盛，其可撲滅乎？』又嘗與同志遠遊，迨至一舍，俄不告而返。詰旦或問之故。利用曰，『忽思朱亥之椎，猶倚陳平之戶，竊恐數鈞之重，轉傷六尺之孤。』其言可哂者類如此。

平常用典雖然不至可笑如此，但使人感到不自然處，往往也和聽彭書袋掉文不相上下。所以不久以前，也曾有過一度激烈地反對運動。像這些都是有意的。有意的運動，自然效力更大，可以把平常看作當然的現象的缺點提到眼睛前頭來，教人觸目驚心。但這種運動大抵只是病象極重極顯的時候纔會發生，其餘大都是不聲不響地在那里進展改動。而那進展改動，往往也是竭意利用語言文字的各種可能性來應付各種不同的情境，有時反比有些抱着定見不顧實際的鼓吹還要周到得多。如文法上語詞的多音節化過去未見有誰提倡，早已逐漸加多，把『馬』加上『兒』，叫做『馬兒』，把『鴨』加上『子』，叫做『鴨子』，這是爲的聲音加多更容易聽得淸楚的緣故。而修辭上的節短，雖然曾經有人一概排斥，卻也仍在逐漸加多，例如把『五月四日』節做『五四』，把『中國廣播公司』節做『中廣』。這又是爲的大家熟悉，無須繁說詳舉的緣故。像這些根據經驗的自然改動，雖然不像大張旗鼓的主張改革那樣有名，或許不爲一般學者所注意，但在成分上卻居多數。我們要注意少數出名英雄的改革業績，我們更要注意這些穩紮實打多數無名英雄的改革業績。這就是我們比之注意成說更要注意古今一切實例的最重要的理由。就像錯綜，是反排偶的最有效的手法，但在幾次反排偶的運動中，都不曾有誰提挈它，把它看做可同對偶排比比並的辭格。而實例卻早已存在。我們倘不注意實例，必致遺落了這種極可注意的修辭現象。

四　修辭現象也常有生滅

辭格的項目，也不是一定不易。現在已有的或許要消滅了，現在未有的也許要產生出來。就現有的例來說，如嚴格的回文便已消滅了，而藏詞卻是從漢代以後纔產生的，如今也已消歇了一半，不過發達了一半。能知此種變動的狀況，然後能夠對於古來已說的敢於抛，古來未說的敢於取，也就是對於舊來用爛了的敢於避，而對於從來未見有人用過的敢於創。一九二四年八月我在答某君論辭格論效用的一封公開信上曾經說：『據我看來，辭格論的用處，約有四項：（一）讓我們明白每格全體的條理，讀書或講書時容易通曉或解釋作者的眞意；（二）讓我們明白每格全體的條理，作文時儘可在通則裏迴旋，不致拘拘去摹仿別人的一點一畫；（三）讓我們統觀已有的一切格，修辭不致偏於自己偶然留心到的一面；（四）讓我們周覽現在已有的一切格，進而創造現在未有的多少格。』我們的憧憬，原本不是在守成，而是在創新。所以第四項，可以說是我們的理想。第二第三項就不過是寫說的學習，第一項更不過是讀聽的學習。假如對於讀聽也是無用的，那就無論前人說得怎樣熱鬧，都可以不必留意。前人有時因爲方法不密，分析不精，往往見有一點細節不同，便把一樣東西看成幾樣東西，又見到一件東西，往往就把其他無關係的事項也拉攏來說。往往看去頭緒極繁，而實際極其簡單。就像陳騤文則卷上丙節條舉十種譬喻的話，也不免有這種毛病。我們不要因爲他們說過一大串，便連實際無用的，也大加驚嘆，而他們未曾說過的，又連實際有用的也毫不注意。總之，不當注意空談，而當注意實際；不當偏重過去，而當偏重將來；不當單看固定，而當留心進展。

辭格的論述，無論中外，向來都很留意。因爲它不但同創新有關，也可做了解舊有的門徑。俞樾的古書疑義舉例所以承一般人看重，也是爲此。但是我們需要的是更上一層的扶梯，不是傳統的桎梏。像現在有些人開口講『律』，講『成規』，把由前例歸納出來的條理誤認作爲律作爲條規來規限我們後例，對於我們實係無益有害。

還有人幻想定出幾組運用辭格的所謂原理來，想把什麽結體增義或什麽正反虛實，詳簡單複，緩急輕重，平直曲折，整齊錯綜，來支配辭格，那也只是一種不合實際的玄談。與所謂起承轉合說一樣，都是抓着一些語辭的末梢現象，而且是不概不括的末梢現象，來對人滔滔說個不休。我們應當注意一些更重要的現象，就是各個辭格的構造和功能。這等於文法以前單講所謂反正虛實，而今要說各個品詞的構造和功能一樣。當然，修辭的現象比文法的現象更繁複，更飄忽無定，我們往往會有無從說起之感。但決不應避難就易，專去留心那些末梢現象。至於分類，更不過是說明的方便，除非眞有必要，是不必條分縷析亂人耳目的。辭格的大分類極難，因此也就最不一定。就是本書，也曾改了好幾次。這次是將原有分類完全廢棄，改爲下列四類：

（甲類）材料上的辭格——指就客觀事象而行的修辭；

（乙類）意境上的辭格——指就主觀心境而行的修辭；

（丙類）詞語上的辭格——指一切利用詞語成素的修辭；

（丁類）章句上的辭格——指一切利用章句結構的修辭。

理由不過是這樣分類，

（1）能包攝一切辭格——辭格不過是修辭上幾種重要的模式或代表。此類模式既因時尙而不同，也隨地域而殊異。無論如何淵博的修辭學家必不能把古今中外一切的模式盡行搜集了來，也無論如何詳盡的修辭學書必不能把古今中外一切的模式盡行羅列在一書之中。故辭格數目，可依著者見解，自行去取。但其分類必須能夠包攝一切辭格，使要增設幾格時，隨時可以安插，不必改動類別。原來的分類，在這一點上頗有缺陷。例如要增設飛白一格，便不知歸在哪一類好。自經此次改動之後便不至有此缺陷。因爲此次係就語文的構造功能而行分類。語文構造無論如何不出（1）用爲中介的詞語；（2）集合詞語所成的章句；（3）材料；（4）意境四項。故如此分類應該可以包攝一切辭格。

（2）可表明辭格的性質——如關於詞語類的修辭是隨詞語而變的，中國的諧音不一定能湊巧譯成日本文或俄文英文的諧音，而中國的離合卻容易流爲日本文的離合，便是因爲中日語文字音各異，而字形卻有相同地方的緣故。又如關於材料類的辭法是隨材料而變的，中國人可以用『裙』作女子的借代，而在日本，『裙』卻只可爲男子的借代（除了時式的女學生外），用新分類便有容易說明此類現象的便利。

但實際也還有困難，如雙關便是介在材料與詞語中間的一種辭格，兩面都可以插入。現在因爲與一般單講詞語的不同，又頗有側重材料的傾向，把它歸入甲類。這自然也可以說不大自然，但這種大分類，除非你去抓那末梢現象是再也找不到一個簡明切實完全無可批評的分類的。這固然不像文法那樣單講形式組織的比較容易提出妥善的分類，但文法上一涉及這種大分類時也便會發生異議，例如文法上究竟應該分爲幾種品詞，這些品詞應當如何歸爲虛字實字兩大類，現在幾乎還是各人有各人的說法。這就由於現象本來繁殊多變，不容易成全你做成那高級的綜合的緣故，並非一定是人力不濟。好在這種大分類，多半只與排列的順序有關，我們只要還便說明又不致引起誤解，便可認爲滿足了。至於辭格的區分，在國外是略有一定，而且頗有積重難返的形勢，不像我們中國積習不深。我以爲我們不妨趁這時機，根據古來的實例及現有的習慣和自然的條理，略加併合分析，使它成爲比較容易了解，容易記憶，而又和國外辭格容易對照的一種區分。像本書所列，便是這樣一個小小的嘗試。中間分合的情況只要把本書所說的辭格，和那幾乎全然依據國外辭格區分法的修辭格所說的辭格去一比，便可知道一個大概。現將本書所說的頭兩格，就是譬喻和借代，和修辭格所說的，列一對照表於下：

本書修辭格

- 譬喻
  - 明喻——顯比（英 Simile）
  - 隱喻 ╲ 隱比（英 Metaphor）
  - 借喻 ╱
- 借代
  - 旁借——伴名（英 Metonymy）
  - 對代——類名（英 Synecdoche）

本書對於我們中國舊有的修辭說也曾運用同樣的分合法。有留心國外的或舊有的修辭說的可以互相參看。

五　適應更是形形色色

以上所說大都關於語言文字的可能性的利用方面。關於可能性方面的利用已經是紛歧錯雜，變化多端。對於題旨和情境的適應更是形形色色。最近有人以爲能夠徹底分析這種適應，就可以具體地眞切地看出寫說者思想意識的全領域，寫說者經驗生活的全分野；而一個寫說的性質，就可以給它一個科學的解剖和科學的評價。那自然未免說得太誇大。但是寫說者思想意識的部分，經驗生活的部分，確是可以從這種適應中間看出來的。例如『積穀防饑』，在我們的思想意識上同養兒沒有什麼關係，而養兒又同防老沒有什麼關係，而諺語卻拿『積穀防饑』來譬喻『養兒防老』（例見『譬喻』）。

又如地名『柏人』爲什麼就會『迫人』，小菜上用了魚爲什麼又就會『富貴有餘』（例見『析字』），舟行爲什麼一定要諱『住』諱『翻』，要把同『住』音相近的『箸』說成『快』（例見『諱飾』）。這些在我們都覺得沒有意思，而在寫說者卻往往有着一種語感，而且往往極強，以爲非用或非避不可。從這些例子看來，我們便約略可以看出寫說者思想意識的影子。而用之既久，卻往往能夠壓倒原有的語言，使向來以爲沒有意思的也不能不跟着那樣說。即如所謂『快』，便是一例。『快』字現在已經加上竹頭，成爲『筷』，也叫『筷兒』或『筷子』。在一般人的口頭上，已經取了『箸』字而代之，成爲日常的語言了，不再是修辭的現象了。但在有些人，或許還要認它是『口采』。通俗有從頭便用『口采』來做名的，如把盛水防火的缸叫做太平缸，把陳屍待殮的房叫做太平房，都就是利用倒反辭做諱飾來滿足所謂討口采心理的一些實例。

在這種適應中我們也可以看出寫說者地位的不同。例如一樣的諱飾，在觸讐對趙太后的口裏，便要諱自己的死爲『塡溝壑』，而諱太后的死爲『山陵崩』，而在司馬遷的口裏，對任少卿說恐怕他不久要死，便只諱說『恐卒然不可爲諱』。又可以看出立場的不同。例如一樣的鋪張，劉老老便用它去奉承賈府，而儒林外史的作者卻用它去諷刺儒林。此外還有對人的態度不同，有時用諷喩婉說，有時用反語激勸，有時卻又用析字、藏詞、飛白等等開玩笑，而有時又只用感歎辭長吁短歎。還有對事的態度不同，有時是慢吞吞地說折繞話，有時卻又急口地說跳脫語。倘就全部的適應來看，將見那現象的複雜也就像人事一樣的紛繁。

至於利用的材料不同，更其不必說。例如譬喩例六用鋼絲做喩，例八用銅絲做喩，這決不會發見在尙未能夠把鋼和銅做成絲的時代，更不會發見在未用鋼未用銅的石器時代。又如例四和例十五都用田獵做喻，這也不該發見在田獵已經消滅了的時代。此外如『春歌』裏說『黃蘗向春生』，『夏歌』裏說『藕異心無異』，都用當時見到的事物做雙關，又如吳歌裏常用蠶絲，粵謳裏常用蜘蛛絲，都用當地容易見到的事物做雙關，這些也是隨題隨境的技巧，隨境隨題的適應。

六　變化的統一

能夠把這些具體的適應上的形形色色給它一個極細心的注意，我們便會在方式的常有上落生滅之外知道還有適用上的繁雜紛歧。其原因是由於寫說者各人的天分、氣質、性格、年齡、職業、性別、經驗、學問、見解、趣味等等的不同，因而對於語言文字的可能性的利用固然不能相同，對於題旨和情境的對應，更是不能一致。前人有『文如其人，人如其文』的話（見馮時可雨航雜錄卷上）。倘使所謂人是指一個人的生活意識等等一切說的，而所謂文又是指一切的寫說說的，那在現在，也還很有意義。便是可以指出語文隨着個人而不同的性質，同時又可以指出語文隨着個人而類同的性質。倘若一個人的生活意識，前後並沒有十分不同，那於語言文字的利用，於題旨情境的適應，往往大致會相彷彿。在紛歧繁雜的修辭現象之中，它便是一種統一的線索。——至少在一個作品或一場說話之中，它是一個統一的線索。故如老殘遊記的前二十回和後二十回措辭手法那樣的不同，我們大抵可以相信不會是一個人做的。

其次，各時各地的社會環境、關係、需要不同，適應也不能不隨着而有不同。又各時各地的遺產的累積不同，對於可能性的利用，也不能不隨着而有差別。遺產的累積越多，可能性便越大。如有樂府起來，便有受樂府影響的可能。有佛經輸入，便有受佛經影響的可能。有歐洲文學輸入，便有歐化的可能。這種可能是否便被利用，固然不能預定，要看當時當地的需要。但若沒有這種可能，我們總不會見有需要和可能的錯綜結合。所以時地不同，也往往就是修辭現象歧異的一個原因，而同時又就是統一的一個線索。

此外，如語言的成色不同，格律不同，目的不同，也往往是這一單體所以別於別一個單體的一個因素，而同時又就是本單體中互相統一的一個線索。如口頭語有口頭語的特徵，文言文有文言文的習慣，紀敍大體有紀敍的體式，說明也大體有說明的類型。

從這統一類同的一面着眼，我們便又可以在那變化無定之中，得到一種大體可以分門別類的頭緒。**這便是語文的體式。**

第十一篇　語文的體式

一　體式和體式的分類

語文的體式，我們本來可以簡稱爲『文體』或『語體』。但『語體』，現在已經用做口頭語的別名，而『文體』，又被一班『辨體』者辨得瑣瑣碎碎，頭緒紛繁。爲避免混同起見，我們不如直稱它爲語文的體式。

語文的體式就是語文的類型。語文的體式很多，也有很多的分類。約舉起來，可以有八種分類：（1）地域的分類，如所謂漢文體、和文體、……之類。（2）時代的分類，如滄浪詩話所舉的建安體、黃初體、正始體、太康體、元嘉體、永明體、……之類；（3）對象或方式上的分類，舊的如文心雕龍分爲騷、賦、頌讚、祝盟、……等等，新的如作文法分爲描寫、記敘、解釋、論辨、等等，都屬於這一種分類；（4）心理或目的上的分類，如通常分爲實用的和藝術的兩類，或分爲知的、情的、意的三類，都可以說是屬於這一類；（5）語言的成色特徵上的分類，如所謂語錄體、口頭語體、文言體、歐化體、……之類；（6）語言的排列聲律上的分類，如所謂詩和散文之類；（7）是表現上的分類，就是文心雕龍所謂『體性』的分類，如分爲簡約、繁豐、剛健、柔婉、平淡、絢爛、謹嚴、疏放之類；（8）是依寫說者個人的分類，如滄浪詩話所舉的蘇李體、曹劉體、陶體、謝體、徐庾體、……韓昌黎體、柳子厚體、……之類。

其中國外修辭的書上說得最熱鬧，中國論文的書上也討論得最起勁的便是這里的第七種體性上的分類。現在單將這一種分類中的各體，綜合中外所說，略述於下。

二　簡約繁豐

體性上的分類，約可分爲四組八種如下：

（1）組——由內容和形式的比例，分爲簡約和繁豐；

（2）組——由氣象的剛強和柔和，分爲剛健和柔婉；

（3）組——由於話裏辭藻的多少，分爲平淡和絢爛；

（4）組——由於檢點工夫的多少，分爲謹嚴和疏放。

（1）**簡約體和繁豐體**——簡約體，是力求語辭簡潔扼要的辭體。例如書曰，『爾唯風，下民唯草』，便可說是簡約的辭體，且已簡到不得再簡。同它一樣的意思，在論語就說，『君子之德風，小人之德草，草上之風必偃』，擴展爲十六字，近於繁豐的辭體。至劉向說苑（卷一）又說，『夫上之化下，猶風靡草，東風則草靡而西，西風則草靡而東，在風所由，而草爲之靡』，擴展爲三十二字，意義仍舊同上文相同，而字已經比論語加了一倍，這就更繁豐了。繁豐體是並不節約辭句，任意衍說，說到無可再說而後止的辭體。

簡約的辭體，辭少而意多，可以使人感得峻潔，而富有言外之意，而其弊容易流於鬱而不明的晦澀。繁豐的辭體，辭義詳盡，可以使人充分明瞭，而其弊容易流於冗弱。繁簡原本各有利弊短長，所以觀點不同，便不免有所偏向。我國古來繁簡之論，就是從此而起。綜計所有論調，約可分爲三類：

（甲）主簡論——如陸機文賦說，『要辭達而理舉，故無取乎冗長。』又如方苞與程若韓書說，『夫文未有繁而能工者，如煎金錫，麤礦去，然後黑濁之氣竭而光潤生。』

（乙）重繁論——如王充論衡（自紀篇）說，『爲世用者，百篇無害；不爲世用者，一章無補。如皆有用，則多者爲上，少者爲下。』

（丙）繁簡並重論——如顧炎武日知錄（十九）說，『辭主乎達，不論其爲繁與簡也；繁簡之論興，而文亡矣。』又如錢大昕與友人論文書說，『文有繁有簡。繁者不可減之使少，猶之簡者不可增之使多。左氏之繁，勝於公、穀之簡，史記漢書互有繁簡。謂文未有繁而能工者，亦非通論也。』又如胡應麟少室山房筆叢（十三）說，『簡之勝繁，以簡之得者論也。繁之遜簡，以繁之失者論也。要各有攸當焉。繁之失者遇簡之得者則簡勝；簡之失者遇繁之得者則繁勝。執是以論繁簡，其庶幾乎。』

繁簡兩體，原本如這里的第三說所說，並沒有絕對的優劣可論。但在各國，大抵古代偏於簡，而近代則多趨於繁。其原因不在乎辭體本身的優劣，而在乎社會情狀的發展。章學誠乙卯劄記說，『古人作書，漆文竹簡，或著縑帛，或以刀削，繁重不勝，是以文辭簡嚴，章無賸句，句無賸字。良由文字艱難，故不得已而作書，取足達意而止。非第不屑爲冗長，且亦無暇爲冗長也。自後世紙筆作書，其便易十倍於竹帛刀漆。而文之繁冗蕪蔓，亦遂隨其人所欲爲。雖世風文質固有轉移，而人情於所輕便，則易於恣放，遇其繁重，則自出謹嚴，亦其常也』。這頗能說出了一部分的物質的原因。

而實際同一時代也有簡約繁豐兩不相下的實例，試看下列兩首詩：

翻手作雲覆手雨，紛紛輕薄何須數。君不見管鮑貧時交，此道今人棄如土。（杜甫貧交行）

太行之路能摧車，若比君心是坦途。巫峽之水能覆舟，若比君心是安流。君心好惡苦不常，好生毛羽惡生瘡。與君結髮未五載，豈期牛女爲參商。古稱色衰相棄背，當時美人猶怨悔。何況如今鸞鏡中，妾顏未改君心改。爲君熏衣裳，君聞蘭麝不馨香。爲君盛容飾，君看珠翠無顏色。行路難，難重陳，人生莫作婦人身，百年苦樂由他人。行路難，難於山險於水，不獨人家夫與妻，近代君臣亦如此。君不見左納言右納史，朝承恩暮賜死。行路難，不在水不在山，只在人情反覆間。（白居易太行路）

可見繁豐簡約要看實際的成就如何，本身並無絕對的優劣可論。至於學習的程序，似乎應先從繁豐的流暢入手，而後進於簡約的峻潔。如歐陽修與徐無黨書說：

著撰苟多，他日更自精擇，少去其繁，則峻潔矣。然不必勉強。勉強簡節之則不流暢，須待自然之至。

三　剛健柔婉

（2）剛健體和柔婉體——剛健是剛強、雄偉的文體；柔婉是柔和、優美的文體。

新生活

胡適

那樣的生活可以叫做新生活呢？

我想來想去，只有一句話，新生活是有意思的生活。

你聽了，必定又要問我，有意思的生活又是什麼樣子的生活呢！

我且先說一兩件實在的事情做個例子，你就明白我的意思了。

前天你沒有事做，閑得不耐煩了，你跑到街上一個小酒店裏，打了四兩白干，喝完了，又要四兩，再添上四兩。喝得大醉了，同張大哥吵了一回嘴，幾乎打起架來。後來李四哥來把你拉開，你氣忿忿的又要四兩白干，喝得人事不知，幸虧李四哥把你扶回去睡了。昨兒早上，你酒醒了，大嫂子把前天的事告訴你，你懊悔得很，自己埋怨自己：「昨兒爲什麼要喝那麼多酒呢？可不是糊塗嗎？」

你趕上張大哥家去作了許多揖，賠了許多不是，自己怪自己糊塗，請張大哥大度包涵。正說時，李四哥也來了，王三哥也來了。他們三缺一，要你陪他們打牌。你坐下來，打了二十圈牌，輸了一百多弔錢。你回得家來，大嫂子怪你不該賭博，你懊悔得很，自己怪自己道：「是呵，我爲什麼要陪他們打牌呢？可不是糊塗嗎？」

諸位，像這樣子的生活，叫做糊塗生活，糊塗生活便是沒有意思的生活。你做完了這種生活，回頭一想，「我爲什麼要這樣幹呢？」你自己也回不出究竟爲什麼。

諸位，凡是自己說不出「爲什麼這樣做」的事，都是沒有意思的生活。

反過來說，凡是自己能說得出「爲什麼這樣做」的事，都可以說是有意思的生活。

生活的「爲什麼」就是生活的意思。

人同畜生的分別，就在這個「爲什麼」上。你到萬牲園裏去看那白熊。一天到晚擺來擺去不肯歇，那就是沒有意思的生活。我們做了人，應該不要學那些畜生的生活。畜生的生活只是糊塗，只是胡混，只是不曉得自己爲什麼如此做。一個人的做事，應該件件回得出一個「爲什麼。」

我爲什麼要幹這個？爲什麼不幹那個？能回答得出，方纔可算是一個人的生活。

我們希望中國人都能做這種有意思的生活。其實這種新生活並不難，只消時時刻刻問自己爲什麼這樣做，爲什麼不那樣做，就是我所說的新生活了。

諸位，千萬不要說「爲什麼」這三個字是很容易的小事。你打今天起，每做一件事，便問一個爲什麼，爲什麼不把辮子翦了，爲什麼不把大姑娘的脚放了，爲什麼大嫂子臉上搽那麼多的脂粉，爲什麼出棺材要用那麼多叫化子，爲什麼娶媳婦也要用那麼多叫化子，爲什麼罵人要罵他的爹媽。爲什麼這個？爲什麼那個？——你試辦一兩天，你就覺得這三個字的趣味眞是無窮無盡，這三個字的功用也是無窮無盡。

諸位，我們恭恭敬敬的請你來試試這種新生活。

春

朱自清

盼望着，盼望着，東風來了，春天的脚步近了。

一切都像剛睡醒的樣子，欣欣然張開了眼。山朗潤起來了，水長起來了，太陽的臉紅起來了。

小草偷偷地從土裡鑽出來，嫩嫩的，綠綠的。園子裡，田野裡，瞧去，一大片一大片滿是的。坐着，躺着，打兩個滾，踢幾脚球，賽幾趟跑，捉幾回迷藏。風輕悄悄的，草輭綿綿的。

桃樹，杏樹，梨樹，你不讓我，我不讓你，都開滿了花趕趟兒。紅的像火，粉的像霞，白的像雪。花裡帶着甜味；閉了眼，樹上彷彿已經滿是桃兒，杏兒，梨兒！花下成千成百的蜜蜂嗡嗡的鬧着，大小的蝴蝶飛來飛去。野花遍地是：雜樣兒，有名字的，沒有名字的，散在草叢裡像眼睛，像星星，還眨呀眨的。

「吹面不寒楊柳風，」不錯的，像母親的手撫摸着你。風裡帶些新翻的泥土的氣息，混着青草味，還有各種花的香，都在微微潤溼的空氣裡醞釀。鳥兒將窠巢安在繁花嫩葉當中，高興起來了，呼朋引伴地賣弄清脆的喉嚨，唱出宛轉的曲子，與輕風流水應和着。牛背上牧童的短笛，這時候也成天在嘹亮地響。

雨是最尋常的，一下就是一兩天。可別惱。看，像牛毛，像花針，像細絲，密密地斜織着，人家屋頂上全籠着一層薄煙。樹葉子卻綠得發亮，小草也青得逼你的眼。傍晚的時候，上燈了，一點點黃暈的光，烘托出一片安靜而和平的夜。鄉下去，小路上，石橋邊，撐起傘慢慢走着的人；還有地裡工作的農夫，披着蓑戴着笠的。他們的草屋，稀稀疏疏的在雨裡靜默着。天上風箏漸漸多了，地上的孩子也多了。城裡鄉下，家家戶戶，老老小小，他們也趕趟兒似的，一個個都出來了。舒活舒活筋骨，抖擻抖擻精神，各做各的一份兒事去。「一年之計在於春；」剛起頭兒，有的是工夫，有的是希望。

剛健和柔婉是桐城派所最注意區別的兩種辭體，先由姚鼐分爲『陽剛』，『陰柔』兩體，後來又有人析爲『太陽』，『少陽』，『太陰』，『少陰』等『四象』，就是析爲四體，又於四體之中各析爲兩類，共計八類，再後又有人以二十字分配陰陽，總分爲二十類。表面上似乎愈分愈細，其實是愈分愈混，至少是愈分離剛柔的標準愈遠了。而說明剛柔兩體的區別，也以分爲兩體的姚鼐最爲明瞭得當。其言見於他的復魯絜非書中，現在節錄於後：

> 鼐聞天地之道，陰陽剛柔而已。文者，天地之精英，而陰陽剛柔之發也。惟聖人之言，統二氣之會而弗偏。然而易詩書論語所載，亦間有可以剛柔分矣；値其時其人，告語之體各有宜也。自諸子而降，其爲文無弗有偏者。其得於陽與剛之美者，則其文如霆，如電，如長風之出谷，如崇山峻崖，如決大川，如奔騏驥。其光也，如杲日，如火，如金鏐鐵。其於人也，如馮高視遠，如君而朝萬衆，如鼓萬勇士而戰之。其得於陰與柔之美者，則其文如升初日，如清風，如雲，如霞，如

煙，如幽林曲澗，如淪，如漾，如珠玉之輝，如鴻鵠之鳴而入寥廓。其於人也，漻乎其如歎，邈乎其如有思，暝乎其如喜，愀乎其如悲。觀其文，諷其音，則爲文者之性情形狀，舉以殊焉。且夫陰陽剛柔，其本二端。造物者糅而氣有多寡進絀，則品次億萬，以至於不可窮，萬物生焉。故曰一陰一陽之謂道。夫文之多變，亦若是已。糅而偏勝，可也；偏勝之極，一有一絕無，與夫剛不足爲剛，柔不足爲柔者，皆不可以言文。

就是說剛柔可以分，但也不過是大概的區分，並非一有一絕無的。

至於剛柔兩體的特點，大致可以說是『陽剛者氣勢浩瀚，陰柔者韻味深美』，一便於寫雄偉，一適於描秀美，也要看實際的成就如何，本身並無優劣可分。

四　平淡絢爛

（3）平淡體和絢爛體——平淡和絢爛的區別，是由話裏所用辭藻的多少而來。少用辭藻，務求清眞的，便是平淡體；儘用辭藻，力求富麗的，便是絢爛體。

平淡體大抵用於科學、法令等，以說明教示爲主的場合；絢爛體大抵用於以動情興感爲主的場合。

一

依我所見，構成月夜美感的最大要素，似乎有三：一是月的光；二是這光所照的夜的世界；三是月夜的光景在觀者心中所引起的聯想。此外或者因了時地和觀者的心情，尙可有種種的原因，但一般地所謂月夜的美感，大概可以認爲由這三要素而成的。

月光，其強不及太陽的光，據科學者說，卽使天空全部盡爲月亮，其光尙距白晝遠甚。那末，月光在我們視覺所及的影響，事實上和普通的色彩無大差的麼？將月光作爲一種色彩看的時候，和青最相近。月夜的青，雖不如海或空的青，然其根色卻不失爲青的，如果我們在海或空的色中，加入若干的暗和淡，就容易想像月光了。既認月光的色是青，我們就有把一般的青的色相和感情來一說的必要。

二

青在波徑上，強度上，都不及黃和赤，如果說黃近於赤，青似乎可以說是近於暗的了。青在色彩中，原也有多少的力，但其力不像別的色彩那樣是積極的使人心昂奮的力，倒是消極的使人心鎭靜的力。青對於黃、橙、或赤等熱色，謂之寒色，其所表示的感情，是冷，是靜，是安慰，是寂寞。在其光力強的時候，一見也非沒有稍微的快爽之趣，但究無能動地昂奮吾人的感情的力；到了第二剎那，牠所引導我們去的地方，仍是沈思之境，瞑想之域；更進一步，就在人心的全體內面，給與一種幽邃難名的憂鬱的潤色了。因此，青所表示的感情，或可說是關於人心的消極的半面，青所表示的是哀，是信，是平和，是慰藉，至如輕浮、活動、執着、煩惱等各種積極的感情，都是牠所反對的。簡括地說，青的色相的一面，是使意志沈沒的。

青在別一面，又似和『無限』的觀念有最密切的關係。據我所見，青似乎像暗黑的光輝，似乎像帶着無窮的遠距離或無限的夜空的色相來的。略加誇張了說，好像『無限』『永遠』『神祕』等不可思議的實在，因爲要示現牠的實在，故意把這色相來呈示的。我們對了這色相，在情的一面，起沈靜、安慰之感，同時在知的一面，還生幽邃深遠之想。在這里，生出對於絕對或彼岸的世界的沈思和瞑想來。並且，這時吾人心中不會起像『渴仰』那樣的和意志有關係的活動，因為在感情一方已把意志沒去了。沒有意志只有沈思，所謂沈思，又是對於無限、永遠、神祕的沈思，於是生純粹的認識。所謂純粹的認識，就是擺脫了意欲的束縛而單把對境來認識的意思。意欲的束縛既經擺脫，意欲的主境的『我』，已等於消滅。這就是佛家所謂無念無想的境界，物我同體的意識了。青的色相，其及於人心的影響，最高可以達此境地。

這樣說法，讀者之中或許有疑我言辭過於誇張的罷。我的意思，要之無非想用了這青色的影響來說明月夜的美感的。其實，要達到這意識，並非必待月夜，望青天，眺蒼海的時候，因了觀者的心情狀況，似乎也可以得此境地。不過，白日晃晃之下，人的現身尙在現實世界的重圍中，要想有這樣純粹的觀照，究不是容易的事。

三

青的色相的表示沈思、安慰、瞑想的感情，可因與他色相比較而更明瞭。青的力以漸近於赤而愈增進。黃是赤的光力最弱者，對於赤的煩惱，被稱為理想之色。理想，畢竟是意志的活動。假如在天空所呈現的純粹的青中，把黃加入，結果就為綠，綠是比青更進一步近乎赤的東西，其所表示的感情，是在青的沈靜上加了黃的理想，就是在安慰之中攙入一分的意志發動的東西，所以古來都稱綠為希望之色。因為所謂希望者，無非是對於理想的向上的思索。青若超過了綠再與赤接近，就成紫。紫是位於青和赤的中間的，其所表示的感情為渴仰。赤是熱色的極軸，原表示活力煩惱的極致的，今於青的沈靜中，加以赤的煩惱，所得的紫，當然應該是渴仰之色了。

這樣的色的複合和表情，諒是處理色彩的人所熟知的。這等事實，無一不可證明青在色相上是沈靜、安慰、瞑想的標號。像褐的一色，也可用了同樣的原理來說明。褐通常被稱爲健康、能力的標號，將其成分加以分析，無非是黃青赤三色的複合色。黃與青合而成希望之色的綠，再加上活力、煩惱的標號的赤，其所得的是健全的能力的標號的褐，也是自然的結果罷。

要之，青所表示的感情是沈靜，是安慰，是瞑想，在色相上和赤所表示的全然相反。赤是活動之色，煩惱之色，意欲之色。用比喻來說：赤如大鼓之響，青如橫笛之音；赤如燃着情欲的男子，青如沈在靜思的女子；赤如傲夏的爛漫的牡丹，青如耐冬的瀟灑的水仙。

四

以上所說的，是普通在日光中的青色。那末，月夜的青色如何？月光的青，有兩點和普通所見的青不同：第一是光力的弱，換言之，就是比普通的青帶着一分的暗；第二是其色的淡，換言之，就是略帶着白味而朦朧的。凡暗色或黑色所表示者，是不可解的祕密，是沈靜的極致，就是寂滅死滅。青中加着一分的暗，卽使青和暗接近，因之自然使其所表示的感情更加神祕和寂寞了。所以月夜的青，其所表示的沈靜、安慰、瞑想，較之普通的青，更有深度。至於其色的淡，就是在其色中加入白的意思，白是證示一切色的不在的，是色而實非色，其所表示者爲無體無相的極致，直言之，就是『非實在』的標號。青中加入一分白，卽一步轉向『非實在』去，換言之，就是在『實在』的青裏，加了一分的假象性了。這樣，月光的青色，一面因了暗把沈靜之情加深，他面又因了淡把實在之性減淺。

所以，將普通的青和月光的青相較，前者是實，後者是假，前者是現實，後者是理想。如果以大鼓之響比赤，以橫笛之音比普通的青，那末月光的青可以譬喻爲洞簫之音了罷。月中的青色，雖是沈靜瞑想的標號，但其所表示者，都尙不失爲實在。看天空的青，看海的青，看山野草木的青的時候，都無非是當作實在物去看罷了。並且觀者自身處在堂堂白日之中，周圍的狀況，無一不是把實在的意識來確證的。至於月夜的青，因爲淡的緣故，已經是假象的了，再因了暗把沈靜之情加深，何況加以其時不在日中，乃在『實在的人生』的休止時的夜間呢。

依此而觀，月夜的美，不是可以因其色彩說明了大半麼？這微妙的色彩，包裹天地使成一色，山、川、草、木、田野、市街，人間，凡是天地間一切的物，都被這微妙的色彩一抹而齊現共同的色相。觀月者並不作夢，可是所見的薄暗青白的世界，總會覺得和那實在的世界有些不同罷。平常尙且是沈靜瞑想悲哀之色的青，更攙了暗和淡，在觀者的心中，不加深一層的感受麼？寂寞的夜景之中，那幽邈難名的月夜的安慰、瞑想、和悲哀，不是如此而成的麼？

月夜的美感，幽邈難言。但有很明白的一事：就是其及於吾人的感情，是傾向於悲哀一方面的。凡是由色彩而誘起的感情，都是無定，故月夜的悲哀也是無定的悲哀，只是一種無端的薄愁。而且月光的青，把我們的意欲和意欲的主體的『我』，已經降沒，其悲哀不是我執的悲哀，只是無端的悲哀，並能悲的『我』也都忘卻，覺我只是悲哀世界自身的一分身而已。這恰和出神聽着妙樂的人，於快樂以外，覺我身入其中一樣。這悲哀原非確實的悲哀，其漠然無定，如月光的幽暗，其朦朧而淡，如月光的夢境。

這可以說是平淡體。

這幾天心裏頗不寧靜。今晚在院子裏坐着乘涼。忽然想起日日走過的荷塘，在這滿月的光裏，總該另有一番樣子吧。月亮漸漸地升高了，牆外馬路上孩子們的歡笑，已經聽不見了；妻在屋裏拍着閏兒，迷迷糊糊地哼着眠歌。我悄悄地披了大衫，帶上門出去。

沿着荷塘，是一條曲折的小煤屑路。這是一條幽僻的路；白天也少人走，夜晚更加寂寞。荷塘四面，長着許多樹，蓊蓊鬱鬱的。路的一旁，是些楊柳，和一些不知道名字的樹。沒有月光的晚上，這路上陰森森的，有些怕人。今晚卻很好，雖然月光也還是淡淡的。

路上只我一個人，背着手踱着。這一片天地好像是我的，我也像超出了平常的自己，到了另一世界裏。我愛熱鬧，也愛冷靜；愛羣居，也愛獨處。像今晚上，一個人在這蒼茫的月下，什麼都可以想，什麼都可以不想，便覺是個自由的人。白天裏一定要做的事，一定要說的話，現在都可不理。這是獨處的妙處；我且受用這無邊的荷香月色好了。

曲曲折折的荷塘上面，彌望是田田的葉子。葉子出水很高，像亭亭的舞女的裙。層層的葉子中間，零星地點綴着些白花，有嫋娜地開着的，有羞澀地打着朵兒的；正如一粒粒的明珠，又如碧天裏的星星，又如剛出浴的美人。微風過處，送來縷縷清香，彷彿遠處高樓上渺茫的歌聲似的。這時候葉子與花也有一絲的顫動，像閃電般，霎時傳過荷塘的那邊去了。葉子本是肩並肩密密地挨著，這便宛然有了一道凝碧的波痕。葉子底下是脈脈的流水，遮住了，不能見一些顏色，而葉子卻更見風致了。

月光如流水一般，靜靜地瀉在這一片葉子和花上。薄薄的青霧浮起在荷塘裏。葉子，和花彷彿在牛乳中洗過一樣，又像籠著輕紗的夢。雖然是滿月，天上卻有一層淡淡的雲，所以不能朗照；但我以爲這恰是到了好處——酣眠固不可少，小睡也別有風味的。月光是隔了樹照過來的，高處叢生的灌木，落下參差的斑駁的黑影，峭楞楞如鬼一般；彎彎的楊柳的稀疏的倩影，卻又像是畫在荷葉上。塘中的月色並不均勻；但光與影有著和諧的旋律，如梵婀玲上奏著的名曲。

荷塘的四面，遠遠近近，高高低低都是樹，而楊柳最多。這些樹將一片荷塘重重圍住；只在小路一旁，漏著幾段空隙，像是特爲月光留下的。樹色一例是陰陰的，乍看像一團煙霧；但楊柳的丰姿，便在烟霧裏也辨得出。樹梢上隱隱約約的是一帶遠山，只有些大意罷了。樹縫裏也漏著一兩點路燈光，沒精打彩的，是渴睡人的眼。這時候最熱鬧的，要數樹上的蟬聲與水裏的蛙聲；但熱鬧是牠們的，我什麼也沒有。

忽然想起采蓮的事情來了。采蓮是江南的舊俗，似乎很早就有，而六朝時爲盛；從詩歌裏可以約略知道。采蓮的是少年的女子，她們是蕩著小船，唱著艷歌去的。采蓮人不用說很多，還有看采蓮的人。那是一個熱鬧的季節，也是一個風流的季節。梁元帝采蓮賦裏說得好：

於是妖童媛女，蕩舟心許：鷁首徐迴，兼傳羽杯；櫂將移而藻挂，船欲動而萍開。

爾其纖腰束素，遷延顧步；夏始春餘，葉嫩花初，恐沾裳而淺笑，畏傾船而斂裾。

可見當時嬉遊的光景了。這眞是有趣的事，可惜我們現在早已無福消受了。

於是又記起西洲曲裏的句子：

采蓮南塘秋，蓮花過人頭；低頭弄蓮子，蓮子淸如水。

今晚若有采蓮人，這兒的蓮花也算得『過人頭』了；只不見一些流水的影子，是不行的。這令我到底惦著江南了。——這樣想著，猛一擡頭，不覺已是自己的門前；輕輕地推門進去，什麼聲息也沒有，妻已睡熟好久了。（朱自淸作荷塘月色）

這比起上一篇來，可以稱爲絢爛體。

平淡和絢爛的區分，同修辭最有關係。因爲前者就是最注意消極手法的語文，而後者就是最注意積極手法的語文。我們前面所謂記述的境界和表現的境界，便是假定有這兩種體式的純粹境界說的。但純粹的境界實際上是少見的。例如最尙平淡的科學的語文，現在也常有所謂肺管肺葉，所謂車手車肩等等，用上了些隱喩。而最尙絢爛的詩詞，又不見得句句都用辭藻。所謂平淡絢爛當然只是假定的兩個極端或兩種傾向。實際多是在這兩種傾向中間。

五　謹嚴疏放

（4）謹嚴體和疏放體——疏放體是起稿之時，純循自然，不加雕琢，不論粗細，隨意寫說的語文；謹嚴體則是從頭到尾，嚴嚴謹謹，細心檢點而成的辭體。以舊小說的文辭來說：儒林外史的文辭就近於謹嚴體，鏡花緣的文辭就近於疏放體，現在試各摘錄一段於下：

王冕讀書，學畫

王冕自此在秦家放牛，每到黃昏，回家跟着母親歇宿。或遇秦家煮些醃魚臘肉給他吃，他便拿塊荷葉包了來家，遞與母親。每日點心錢，他也不買了吃，聚到一兩個月，便偷個空，走到村學堂裏，見那闖學堂的書客，就買幾本舊書，逐日把牛拴了，坐在柳陰樹下看。

彈指又過了三四年，王冕看書，心下也着實明白了。那日，正是黃梅時候，天氣煩躁。王冕放牛倦了，在綠草地上坐着。須臾，濃雲密布，一陣大雨過了。那黑雲邊上鑲着白雲，漸漸散去，透出一派日光來，照耀得滿湖通紅。湖邊上山，青一塊，紫一塊，綠一塊，樹枝上都像水洗過一番的，尤其綠得可愛。湖裏有十來枝荷花，苞子上清水滴滴，荷葉上水珠滾來滾去。王冕看了一回，心裏想道：『古人說，人在圖畫中，其實不錯。可惜我這里沒有一個畫工！把這荷花畫他幾枝，也覺有趣！』又心裏想道：『天下哪有個學不會的事！我何不自畫他幾枝！』……

自此，聚的錢不買書了，託人向城裏買些胭脂鉛粉之類，學畫荷花。初時畫得不好，畫到三個月之後，那荷花，精神、顏色無一不像；只多着一張紙，就像是湖裏長的，又像才從湖裏摘下來貼在紙上的。鄉間人見畫得好，也有拿錢來買的。王冕得了錢，買些好東好西孝敬母親。一傳兩，兩傳三，諸暨一縣都曉得是一個畫沒骨花卉的名筆，爭着來買。

到了十七八歲，不在秦家了，每日畫幾筆畫，讀古人的詩文，漸漸不愁衣食，母親心裏歡喜。這王冕天性聰明，年紀不滿二十歲，就把那天文地理，經史上的大學問，無一不貫通。但他性情不同：既不求官爵，又不交納朋友，終日閉戶讀書。又在楚辭圖上，看見畫的屈原衣冠，他便自造一頂極高的帽子，一件極闊的衣服。遇着花明柳媚的時節，把一乘牛車載了母親，他便戴了高帽，穿了闊衣，執着鞭子，口裏唱着歌曲，在鄉村鎮上，以及湖邊，到處頑耍。惹得鄉下孩子們三五成羣跟着他笑，他也不放在意下。只有隔壁秦老，雖然務農，却是個有意思的人；因自小看見他長大得如此不俗，所以敬他，愛他，時時和他親熱，邀在草堂裏坐着說話兒。（儒林外史第一回）

淑士國酒保和儒者掉文

唐敖、林之洋、多九公三人來到大街，看那國人（淑士國人），都是頭戴儒巾，身穿青衫，也有穿着藍衫的。那些作買賣的，也是儒家打扮，斯斯文文，並無商旅習氣。所賣之物，除家常日用外，大約賣青梅、虀菜的居多，其餘不過紙、墨、筆、硯，眼鏡、牙杖，書坊、酒肆而已。唐敖道，『此地庶民，無論貧富都是儒者打扮，却也異樣。好在此地語言易懂，我們何不去問問風俗？』……多九公道，『老夫口裏也覺發乾，恰喜面前有個酒樓，我們何不前去沽飲三杯，就便問問風俗？』林之洋一聞此言，口中不覺垂涎道，『九公眞是好人，說出話來，莫不對人心路！』三人進了酒樓，就在樓下檢個桌兒坐了。

旁邊走過一個酒保，也是儒巾素服，面上戴着眼鏡，手中拿着摺扇，斯斯文文走來向着三人打躬陪笑道，『三位光顧者，莫非飲酒乎，抑用菜乎？敢請明以教我。』林之洋道，『你是酒保……你還滿嘴通文，這是甚意？剛才俺同那些生童講話，倒不見他有甚通文，誰知酒保倒通起文來，眞是整瓶不搖半瓶搖！你可曉得俺最喉急，不慣同你通文？有酒有菜，只管快快拿來！』酒保陪笑道，『請教先生：酒要一壺乎，兩壺乎？菜要一碟乎，兩碟乎？』林之洋把手朝桌上一拍道，『甚麼「乎」不「乎」的，你只管取來就是了。你再「之乎者也」的，俺先給你一拳！』嚇得酒保連忙說道，『小子不敢，小子改過！』隨即走去取了一壺酒，兩碟下酒之物，一碟青梅，一碟虀菜，三個酒杯，每人面前，恭恭敬敬斟了一杯，退了下去。林之洋素日以酒爲命，見了酒，心花都開，望着二人說聲『請了』，舉起杯來，一飲而盡。那酒方才下咽，不覺緊皺雙眉，口水直流，捧着下巴喊道，『酒保錯了，把醋拿來了。』

只見旁邊座兒有個駝背老者，身穿儒服，面戴眼鏡，手中拿着剔牙杖，坐在那里，斯斯文文，自斟自飲。一面搖着身子，一面口中吟哦，所吟無非之乎者也之類。正吟得高興，忽聽林之洋說酒保錯拿醋來，慌忙住了吟哦，連連搖手道，『吾兄既已飲矣，豈可言乎？你若言者，累及我也！我甚怕哉，故爾懇焉；兄耶，兄耶，切莫語之！』唐多二人聽見這幾個虛字，不覺渾身發麻，暗暗笑個不了。

林之洋道，『又是一位通文的！俺埋怨酒保拿醋算酒，與你何干？爲甚累你？倒要請教。』

老者聽罷，隨將右手中指食指放在鼻孔上擦了兩擦，道，『先生聽者！今以酒醋論之：酒價賤之，醋價貴之。因何賤之，爲甚貴之？其所分之，在其味之。酒味淡之，故爾賤之；醋味厚之，所以貴之。人皆買之，誰不知之？他今錯之，必無心之。先生得之，樂何如之？第既飲之，不該言之。不獨言之，而謂誤之。他若聞之，豈無語之？苟如語之，價必增之。先生增之，乃自討之。你自增之，誰來管之？但你飲之，即我飲之。飲既類之，增應同之。向你討之，必我討之。你既增之，我安免之？苟亦增之，豈非累之？既要累之，你替與之。你不與之，他安肯之？既不肯之，必尋我之。我縱辯之，他豈聽之？他不聽之，勢必鬧之。倘鬧急之，我惟跑之。跑之跑之，看你怎麼了之？』唐多二人聽了，惟有發笑。

林之洋道，『你這幾個之字，盡是一派酸文，句句犯俺名字，把俺名字也弄酸了。隨你講去，俺也不懂。但俺口中這股酸氣，如何是好？』桌上望了一望，只有兩碟青梅、虀菜，看罷口內更覺發酸，因大聲叫道，『酒保快把下酒多拿兩樣來。』酒保答應，又取四個碟子放在桌上：一碟鹽豆，一碟青豆，一碟豆芽，一碟豆瓣。林之洋道，『這幾樣，俺吃不慣，再添幾樣來。』酒保答應，又添四樣：一碟豆腐乾，一碟豆腐皮，一碟醬豆腐，一碟糟豆腐。林之洋道，『俺們並不吃素，為甚只管拿這素菜？還有甚麼，快去取來！』酒保陪笑道，『此數餚也，以先生視之，固不堪入目矣；然以敝地論之，雖王公之尊，其所享者亦不過如斯數樣耳。先生鄙之，無乃過乎？止此而已，豈有他哉！』

多九公道：『下酒菜業已夠了，可有甚麼好酒？』酒保道，『是酒也非一類也，而有三等之分焉：上等者，其味醲；次等者，其味淡；下等者，又其淡也。先生問之，得無喜其淡者乎？』唐敖道，『我們量窄，吃不慣醲的，你把淡的換一壺來！』酒保登時把酒換了。三人嘗了一嘗，雖覺微酸，還可吃得。林之洋道，『怪不得有人評論酒味，都說酸為上，苦次之，原來這話出在淑士國的！』（鏡花緣第二十三回）

謹嚴辭體可以使人有莊嚴——拘謹之感，疏野辭體可以使人有樸素——粗野之感。文辭除因作風不同而有謹嚴、疏放的差別外，也可因所寫內容不同而有謹嚴、疏放的差別。上面摘錄的兩段，就可作爲兩面因素兼有並具的例子。

六　語文體式的繁複情況

以上我們已將第七種體性上的體式分爲四組，又將各組分爲簡約和繁豐，剛健和柔婉，平淡和絢

簡約——繁豐

剛健——柔婉

平淡——絢爛

謹嚴——疏放

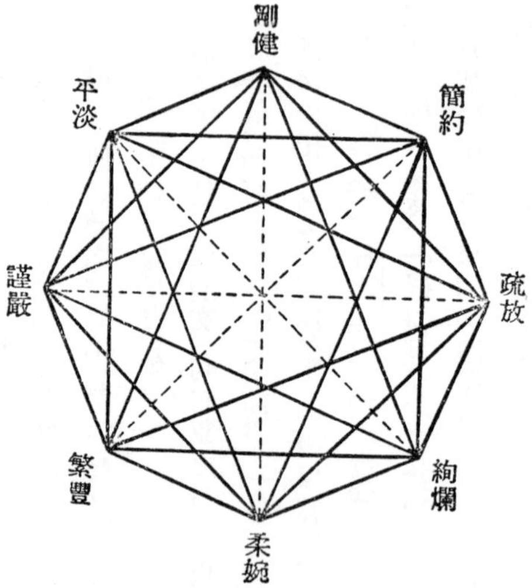

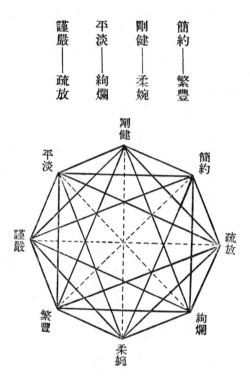

爛，謹嚴和疏放等兩個極端，粗略地說過了。其實語文的體式並不一定是這兩端上的東西：位在這兩端的中間的固然多，兼有這一組二組三組以上的體性的也不少。例如簡約而兼剛健，或簡約而兼剛健又兼平淡，繁豐而兼柔婉，或繁豐而兼柔婉又兼絢爛，都屬可能。所難以相兼的，恐怕只有一組中互相對待的兩體，如簡約兼繁豐、剛健兼柔婉之類。照此看來，體式之多，也就可以想見。今試用圖顯示它那繁複的情況在這里（圖中實線表示可以相兼，虛線表示難得相兼）。

關於語文體式的繁複情況，我們的調查研究還極不充分，以上所說不過略述我們概略的見聞聊供參考。

第十二篇　結語

一　從修辭學術萌芽時期說起

關於修辭的論述向來並無一定的範圍。或偏重思想事實的傳達，特別注意在邏輯和文法等等各個可使文章明白清晰的條項；或偏重聽讀者的感動領受，特別注意在有力量有光彩有趣味的語句的蒐集、剖析、鑒賞。也有因寫說需用語言文字作中介，就說『作文宜先識字』（吳曾祺說，見涵芬樓文談第五篇），或說『解字爲作文之基』（劉師培說，見文學教科書第一册第一課），而特別用心說述語言文字的起源變遷的。此外或者相信『每體各有一定格律，凜然不可侵犯』（見上舉文談辨體篇），而瑣碎地辨別語辭統一的形態卽以前所謂體或文體；或者相信『文如其人，人如其文』（見馮時可雨航雜錄卷上），而殷勤地稱述文章所從出的文學家個人的性情經歷和修養的。列舉起來，不同的傾向實在是不少。而古來留傳給我們的詩話、文談、隨筆、雜記、史論、經解之類，偶然涉及修辭的，又多不是有意識地在作修辭論，它們說述的範圍，照例是飄飄無定；每每偶爾涉及，忽然又颺開了，我們假如限定範圍去看，往往會大失所望。就是一般所認爲比較重要的古書疑義舉例，及我所認爲也是比較重要的滹南遺老集，也不免如此。這是由於向來並未將修辭當作一種專科學術來研究的緣故。而且也是一切學術萌芽時代的常態，並非單單修辭一科如此。我們不能怪荀子既講正名，爲什麼不專講現代邏範圍以內的事項，公羊傳既於文法很有理解，爲什麽不專講現代文法範圍以內的現象，當然也不能怪孟子既講『不以文害辭，不以辭害志』，爲什麽不專講現代修辭學範圍以內的現象。那些古說，當然內容很雜。

二 修辭文法混淆時期

這樣內容雜亂的情況，直到一八九八年馬建忠的馬氏文通出版，纔被改進了一點。馬氏文通是一部嚴格講述文法的書，與修辭學本來沒有多大關係，但因著作不凡，影響很大，從馬氏文通出版以後，便有一些學術界限不清的人，從故紙堆裏去搬出以前那些修辭古說來依附或混充文法，成了一個拿修辭論的材料混充文法的時期。在這時期裏面，雖然範圍依然不定，界限依然不清，但比之以前已經明白了好多。我們先看中國圖書公司一九〇八年出版的文法會通。那書的目錄是：

卷一——論字，論詞，論句；

卷二——論積句上：陰陽；

卷三——論積句中：奇偶，排比，比例，譬喩，陪襯，援引，虛實，例證；

卷四——論積句下：因果，假定，逆溯，設難，正負，演繹；

卷五——論布局。（這是甲編的目錄，以下未見。）

這勉強可以說是屬於修辭學範圍內的條目，而編者劉金第的自序裏卻說：

馬氏文通出，於字類之分別，句讀之組織，極言詳論，博引繁徵，誠四千年未有之創作。然於積句成篇之法則，似尚多未詳。爰不揣譾陋，取古人之文，比類參觀，就異求同，擇其可會通言之者，條分類纂，略附解釋。……雖舉例簡少，解釋鄙略，不敢謂繼文通而作，然欲與學者以易知易能，使卽其可授受者以求夫不可授受者，則猶夫眉叔先生之意也。

便是因爲看重文法，把它看作文法論了。這樣的情況持續約有十七八年。到了一九一六年，因爲鴛鴦胡蝶正在海上亂飛，於是索性來了一個對於文法的進攻。我們可看當年有正書局出版的文學津梁那書的總目是：

文章緣起……………梁任　昉
文　則……………宋陳　騤
文章精義…………宋李耆卿
修辭鑑衡…………元王　構
文　說……………元陳繹曾
文章薪火…………明方以智
伯子論文…………清魏際瑞
日錄論文…………清魏　禧
退菴論文…………清梁章鉅
初月樓古文緒論…清呂　璜
文　概……………清劉熙載

論文集要…………淸薛福成

而編者周鍾游的自序卻說：

今者茲編之輯，彙先正之緒言，以爲後學津梁。果能據此以資講習，則文章之消息，已可得其大概，其賢於今之所謂文典者遠矣。

可見也是把修辭和文法混爲一談，把修辭論的材料認做文法，又把他的所謂文法來排斥新興的文法的。雖然對於文法的態度有依附和攻擊不同，而拿修辭論的材料去混充文法的行徑却是一樣。這個時期裏面還有別的編著，差不多也是如此。我們可以稱爲修辭文法混淆時期。

三　中外修辭學說競爭時期

過了這個時期，修辭學便漸漸獨立起來。雖然文學津梁對於文法是攻擊，對於修辭本身說來却是一種崛起的現象，但那編者並不知道文法之外還有修辭學，因此雖然書中錄有王構的修辭鑑衡，正有趁機發言的機會，也並不曾將修辭學的名稱提出。而我們修辭學的獨立也就要等待那一九一九年的五四運動來做一個自然的界線。

五四以後，諸學並興，本學也頗有人談及。我們如果有方法詳查那時出版的報章、雜誌，一定可以發見好多關於討論修辭的文章。我此刻還能記得作者和題名的，也還有兩篇。一篇是陸殿揚的修辭學和語體文，還有一篇是王雲六的修辭法概說。但多例證貧乏，解說粗略。雖然吶喊的功勞也不算少，對於修辭學的成立實際很少貢獻。

當時對於修辭學最有貢獻的，大家熟知，是一九二三年出版的唐鉞的修辭格。這書雖然只是薄薄的一本小册子，這書所討論的也不過是本書所謂辭格的一小部分，但因找例很勤，說述也頗得當，又是科學的修辭論的先聲，對於當時的影響很大。從這本小書出版以後，修辭學便又換了一個新局面。修辭學的成立已經無人懷疑，修辭學和文法的競爭也告終結，同時卻在修辭學界裏面展開了一個中外修辭學說競爭的場面。我們可以稱爲中外修辭學說競爭時期。

這個時期的延續幾乎已有前期的一半年間，而現在似乎還不想收場。而書籍的出版卻又很多。所以頗是一個熱鬧的場面。在那些書中我們可以提出兩種來做代表：一種就是唐鉞的修辭格，代表外的；一種就是鄭奠的中國修辭學研究法，代表中的。

唐鉞的態度，從修辭格的緒論一段文字中便可以看出：

要討論修辭格，爲便利起見，不得不把他們分類。但是分類的方法很多，本書姑且採用一種，省得討論時完全沒有頭緒。茲略依訥斯菲高級英文作文學（Nesfield's Senior Course of English Composition）裏頭的分類，而斟酌損益成下列的統系：

"第一，修辭格中根於比較的：

（甲）根於類似的：

（1）顯比，（2）隱比，（3）寓言。

（乙）根於差異的：

（1）相形，（2）反言，（3）階升，（4）趨下。

第二，根於聯想的：

（1）伴名，（2）類名，（3）遷德。

第三，根於想像的：

（1）擬人，（2）呼告，（3）想見，（4）揚厲。

第四，根於曲折的：

（1）微辭，（2）舛辭，（3）冷語，（4）負辭，（5）詰問，（6）感歎，（7）同辭，（8）婉辭，（9）紆辭。

第五，根於重複的：

（1）反復，（2）儷辭，（3）排句，（4）複字。

鄭奠的對抗態度也從中國修辭學研究法的導言一段文字中便可以看出：

> 近世外慕風熾，舉海外修辭之術，繩諸前文，得其形似，樂爲比附，彼所未及，此亦闕如。今思述先士之正論，考前文之成規，範爲修辭之學，先陳研究之法。……

大概前者是想用國外的修辭學說來解說中國的修辭現象，無形中含有『新探』的意思；後者是想用中國的修辭古說來規律今後的修辭，無形中含有『復古』的意思。兩面業績，都頗可看：前者可使我們知道西方說述辭格的大概，後者也可使我們省些翻檢抄錄舊書的煩勞。至於所謂『彼所未及，此亦闕如』，同是演繹成說，必定同有這種毛病，似乎不應該『看見弟兄眼中有刺，卻不想自己眼中有梁木』。（路加六之四一）何況鄭奠所謂『研究法』，只是古說集錄，連演繹也還說不到。現在節錄它的開頭兩節，以見一斑（格式標點全照原書）：

〔修辭〕

辭　說文解字云說也从𤔔辛𤔔辛猶理辜也

詞　說文云意內而言外也从司言

修　說文云飾也从彡攸聲段注修之从彡者洒㪤之也藻繪之也

右釋名

修辭立其誠所以居業也易乾

辭也者各指其所之　繫辭以盡其言　聖人之情見乎辭　其旨遠其辭文其言曲而中易傳

辭之輯矣民之洽矣詩板

情欲信辭欲巧禮表記

不辭費曲禮

天下無道則辭有枝葉表記

辭達而已矣論語

出辭氣斯遠鄙倍矣論語

故說詩者不以文害辭不以辭害志以意逆志是為得之孟子

辭也者兼異實之名以論一意也荀子正名

右徵『辭』

四　結語

我們無意參加所謂中外修辭學說的競爭。我以爲修辭學的主要任務，是搜集事實材料，和研究別的科學一樣地，盡力觀察、分析、綜合、類別、說明、記述。材料應當搜集的固然有兩類：

（一）修辭的諸現象，

（二）關涉修辭的諸論著。

但實際是，（一）類更加重要，可以說是原料，（二）類稍爲不重要，只可說是副料。我們應當儘量搜集實際的現象材料，根據實際去找尋修辭的條理，不當影印陳說，來作新書的內容。故於修辭的諸論著，無論是中的外的古的今的，都只能備作我們的參考，備作我們要解說某一現象而不能即得確當的解說時的提示，或作我們解決方式的左證。而自己卻應當切實負責地尋求各種眼見耳聞的修辭事實來逐一加以觀察分析。

我又以爲一切科學都不能不是時代的，至少也要受時代所要求所注重，及所鄙棄所禁忌的影響。何況修辭學，它的成事成例原本日在進展的。成事成例的自身既已進展，則歸納成事成例而成的修辭學說，自然也不能不隨着進展。所以修辭學的結論，實際可以隨時不同。世界上既然決沒有永遠一定不變的成例，世界上自然決不會有永遠一定不變的修辭條理。

所以修辭學的述說，即使切實到了極點，美備到了極點，也不過從空前的大例，抽出空前的條理來，作諸多後來居上者的參考。要超越它所述說，並沒有什麼不可能，只要能夠另闢新境，別創新例，至少能夠另立新解。

但有許多地方，看了前人的脚跡，實可省卻我們自闢蹊徑的煩勞。我們生在現代，固然絕對沒有服從古說的義務，可是我們實有採取古今所有成就來作我們新事業的始基的權利。而且鳥瞰一下整個的修辭景象，也可以增加我們相當的自信力，免得被那些以偏概全或不切不實的零言碎語所迷惑，於寫說也非絲毫無補。